JULY 6
TVÅTUSENETT

Many thanks for
your great hospitality

Carl Af R
B. Franc
Karin Jenne
tra Hedgur

Förord

Första gången jag träffade Kjell Engman var i hans ateljé i Boda. På kontorets övervåning instoppad bland glascirkusens ballonger, mytiska masker och ballerinaglas flöt glasrollet omkring berättande livfullt om sig och sitt. Ett annat möte var när han visade Myternas vatten i ett gammalt magasin i Ebeltoft. En annan miljö än hemma i Boda och andra människor, men samma Kjell Engman engagerat upptagen av sin konst och tankar däromkring. Sådana tillfällen är inspirerande och föder tankar som aldrig växer fram utan dialog. Efter varje liknande möte inställer sig frågan hur man fångar en konstnärs innersta. Kjell Engmans mångsidighet gör inte den uppgiften lätt. Spännvidden i hans uttryckssätt omsluter musik, bild, foto och glas i konst och funktion. Hela tiden löper ett genuint engagemang som en röd tråd genom allt han företar sig.

Föreliggande utgåva är ett dokument som så långt det är möjligt försöker ge en bild av en konstnär genom hans produktion. Berättaren Hans-Olof Lundmark har på ett inspirerande sätt tagit sig an uppgiften att i dialog med Kjell Engman komma konstnären in på livet. Det sker i ett flödande bildmaterial som kompletteras med avvägda texter om konstnärens livsresa.

Kjell Engmans konstnärskap utvecklas ständigt och de senaste årens utställningar har mottagits varmt av både nationell och internationell publik. Det är därför alla som tjusas av hans uttryckssätt ser fram emot utställningen på Smålands museum-Sveriges Glasmuseum sommaren år 2002. Då lägger Kjell Engman ytterligare en pusselbit åt alla dem som söker konstnärens själ.

Karl Johan Krantz
Landsantikvarie
Chef Smålands museum-
Sveriges Glasmuseum i Växjö

Foreword

The first time I met Kjell Engman, we were in his studio at Boda. Upstairs, amid balloons from a glass circus, mythical masks and ballerina glasses, the conjuror in glass glided around, avidly talking about himself and his work. Another time, he showed me Water of Myth in an old warehouse in Ebeltoft, Denmark. The setting was different and so were the people, but Kjell Engman was the same: thoroughly engaged by his art and his thoughts about art. Meetings like this are inspiring, giving rise to thoughts that would never grow forth without dialogue. Every such meeting raises the question of how to capture the essence of an artist. Kjell Engman's versatility only adds to the challenge. His expressive idiom spans music, imagery, photography and glass, both artistically and functionally. A very genuine enthusiasm informs everything he does.

This volume seeks as far as possible to paint a picture of an artist through his works. Hans-Olof Lundmark's efforts to enter into a dialogue with Kjell Engman, to get close to him, have been inspiring. He tells his tale with expressive graphic material and a carefully weighed narrative of the artist's life.

Kjell Engman's artistry has constantly developed, and has been warmly received by both domestic and international exhibition-goers in recent years. For this reason, everyone who is captivated by his expressive idiom can look forward to the exhibition to be mounted at Smålands Museum, Sweden's Museum of Glass, in the summer of 2002. Kjell Engman will be adding yet another piece to the puzzle for all those who seek to understand the soul of an artist.

Karl Johan Krantz
County Custodian of Antiquities
Director, Smålands Museum –
Sweden's Museum of Glass in Växjö

Erik Karlsson.

Bilderna

Samtliga bilder från Kjell Engmans senare utställningar är tagna av Erik Karlsson, som är en av tre ägare till företaget Jönsson Bilder AB i Kristianstad.

Rättigheterna till övriga bilder innehas av Orrefors Kosta Boda AB, om inget annat anges.

Photographs

All photographs of Kjell Engman's more recent exhibitions were taken by Erik Karlsson, who is one of the three principals of Jönsson Bilder AB in Kristianstad, Sweden.
Unless otherwise indicated, all other pictures are copyright Orrefors Kosta Boda AB.

Bildberättelsen Kjell Engman

Utgiven i maj år 2001
Text: HANS-OLOF LUNDMARK
Foto omslagets framsida: KJELL ENGMAN
Foto omslagets baksida: ROY HIMSEL
Översättning: ROBERT DUNLAP, Watchword Stockholm
Layout: HANS-OLOF LUNDMARK och MARIE FRANSSON, Smålandsposten Växjö
Repro och tryckning: Halls Offset AB i Växjö
www.hallsoffset.se
Papper: 150 g Lessebo Linné vit - från KLIPPAN AB

Kjell Engman: A Narrative in Glass

Published in May 2001
Author: HANS-OLOF LUNDMARK
Photo, front cover: KJELL ENGMAN
Photo, back cover: ROY HIMSEL
Translation: ROBERT DUNLAP, Watchword AB, Stockholm
Layout: HANS-OLOF LUNDMARK and MARIE FRANSSON, Smålandsposten, Växjö
Repro and printing: Halls Offset AB, Växjö,
www.hallsoffset.se
Paper: 150 g. Lessebo Linné white - from KLIPPAN AB

Copyright MÄNGEN PRODUCTION
Furumovägen 12, 35249 Växjö
Tel: +46 - (0)470 - 65905
ISBN 91-972212-4-4

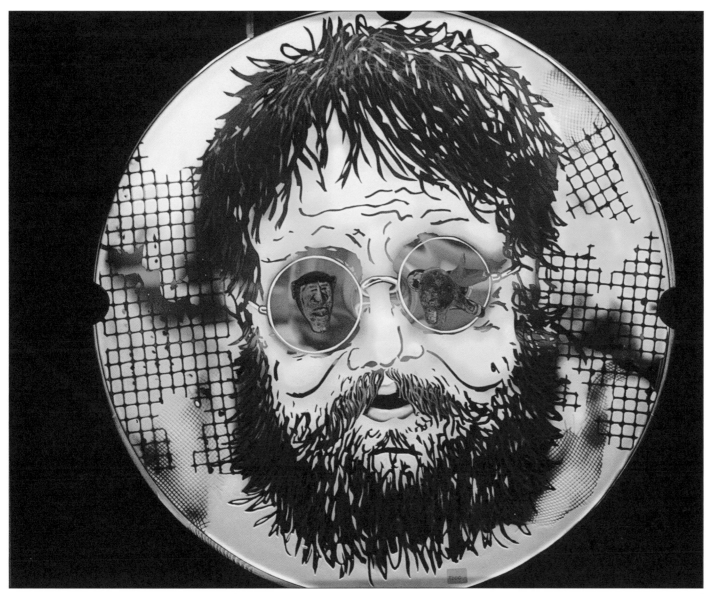

Kjell Engman, självporträtt i glas 1976.   *Kjell Engman, self-portrait in glass, 1976.*

Glastrollet

*– Ur de svenska skogarna har det skuttat fram
många glastroll. Ett av dem är Kjell Engman. En
smittande lust till lek och en ständig iver att
berätta är hans drivkraft. Som den engagerade
och varma människa han är, har han i sitt hjär-
ta många historier som han vill dela med sig av.*

Omdömet är hämtat ur förordet till en lika vacker
som spännande utställningskatalog, som sommaren
1998 skrevs av museidirektören Charlotte Sahl-
Madsen i danska Ebeltoft. Då hade Kjell Engman
kommit till hennes berömda glasmuseum

Glass Wizard

*Many are the glass wizards who have sprung
from the Swedish forests. One of them is Kjell
Engman. An infectious playfulness and a never-
ending narrative enthusiasm are his motive
forces. Such a warm and spirited person is
inevitably full to bursting with stories he is
eager to share.*

This enthusiastic verdict, drawn from an exhibition
catalogue that is at once lovely and vivid, was pro-
nounced by Charlotte Sahl-Madsen, director of the
Ebeltoft Museum in Denmark, in the summer of

3

Kjell är kompositör också.

Kjell is a composer, too.

med sin utställning Myternas vatten, som året tidigare hade setts av cirka en halv miljon besökare på Boda glasbruk, Örebro slott och på Kulturen i Lund.

- En sann glaskonstnär har kallats till Ebeltoft, konstaterade museidirektören också i samma förord, där hon dessutom förklarade varför Myternas vatten inte kunde visas på själva museet:

- Den omfattande installationen består av 180 större och mindre konstverk, som tillsammans med en spektakulär ljussättning och en imponerande ljudkuliss för oss till det brusande vattenfallet och den fiskrika sjön, där också mytologiska fåglar och andra fantasidjur håller till. Glasmuseets fysiska ramar gör det inte möjligt att visa allt detta, men en närbelägen och mycket rustik fabriksbyggnad utgör den perfekta lokaliteten.

Det här lät lockande för danskarna och turistande glasentusiaster från hela världen. Myternas vatten kunde det här året ses i Ebeltoft från juni till september, vilket var en månad mer än vad som hade planerats från början.

1998. Kjell Engman had come to her renowned glass showcase with his exhibition Water of Myth, which had been seen by some half a million visitors the year before at Boda glassworks, Örebro Castle and Kulturen i Lund.

"A true glass artist has been called to Ebeltoft," noted the director in the catalogue's foreword. She went on to explain why Water of Myth could not be mounted at the museum itself:

This extensive installation consists of 180 works, large and small. Combined with spectacular lighting and an impressive backdrop of sound, they transport us to a roaring waterfall and a lake alive with fish, which are also home to mythological fowl and other fantastical animals. The physical limitations of the museum preclude displaying all of it, but a rustic nearby factory building is the perfect setting.

This had an unmistakable allure for Danish locals and holidaymaking glass enthusiasts from around the world. Water of Myth could be seen at Ebeltoft from June to September this year, one month longer than it was initially slated to be shown.

Myternas vatten med Fiskarens vagn.

Water of Myth with The Fisherman's Carriage.

Vad var det då de många besökarna fick se på Boda glasbruk, Örebro slott, Kulturen i Lund och i den rustika gamla maltfabriken vid hamnen i Ebeltoft? Jo, självklart var det mytiska figurer och vatten av glas. Korparna Hugin och Munin från den fornnordiska mytologin fanns till exempel där liksom den egyptiska ibisfågeln. Och där fanns också den afrikanske eldbevarande anden Murele tillsammans med den isländske havsguden Ägir.

Men där fanns också dittills helt okända drakar, demoner och stenandar. För att inte tala om mycket mytiska hästhuvuden i runda båtfönster eller ventiler, som det heter på sjön. Dem hade Kjell Engman sett bildas av vågstänk och skuggspel, när han seglade mellan kobbar och skär på den svenska västkusten.

– Med hjälp av glas, ljud och ljus har jag skapat min egen mytologi, förklarar Kjell. Helt enkelt min egen sfär av mytiska figurer.
Och den sfären är egentligen hans egen högst privata, trots att alltså fyra stycken, synnerligen offentliga utställningar har lockat över en halv miljon besökare.
– Jag ville egentligen inte ge utställningen något namn, berättar Kjell. Utan bara låta besökarna själva känna vad de upplevde och skapa sig en egen saga.

Men ett utställningsnamn var nödvändigt, om inte annat för att besökarna skulle få reda på vad det var de tittade på. Det är annars en mycket vanlig fråga, när det gäller Kjells unika produktion.
Och en ännu vanligare fråga till den hårt arbetande glaskonstnären är var han hämtar all sin inspiration. Det har hunnit bli mycket mer än mytiska fåglar, isländska havsgudar och stenandar med Kjells signatur under de mer än tjugo år, som han har verkat i det småländska Glasriket.
– Jag kan inspireras av precis allt, säger Kjell. Naturligtvis av musik, litteratur, teater och andra konstformer, men också av att studera knaggarna på utedassens väggar eller se hur varorna är staplade i en ICA-affär. De kan bilda vackra, spännande eller på andra sätt intressanta mönster.

Sådana dagliga studier har gett och kommer med all säkerhet också i framtiden att ge ett fascinerande och framgångsrikt sortiment med vidhängande gott rykte för varumärket Kosta Boda, till vilket den sagoberättande konstnären knöts 1978.

What was it, then, that so many visitors enjoyed at Boda glassworks, Örebro Castle, Kulturen i Lund and the rustic old malt factory near the harbour in Ebeltoft? None other than mythical figures and water of glass. The ravens Hugin and Munin of Old Norse mythology were on hand, and so too the Egyptian ibis. The African fire god Murele rubbed elbows with the Icelandic maritime god Aegir. But there were as yet unfamiliar dragons, demons and stone idols, too. Not to mention mystical horse heads glimpsed through portholes. Kjell Engman had seen them in the splash of waves and play of shadows as he sailed among the rocky cobs and islets of Sweden's west coast.

"With glass, sound and light, I have created a mythology of my own," says Kjell. "In short, my very own circle of mythic figures." And that circle is truly very much his own, despite having attracted over half a million visitors to four decidedly public exhibitions.
"Actually, I didn't even want to give the exhibition a title," says Kjell. "I would rather let visitors play freely with their feelings about the experience, weave a tale of their own."
But the exhibition needed a name, if only so visitors would know what they were looking at. That is a commonly asked question about Kjell's unique oeuvre. A question put to the hardworking glass creator even more often is where he draws his inspiration. Kjell has worked in Sweden's Kingdom of Crystal for over two decades, and he has signed his name to much more than just mythic birds, Icelandic sea gods and stone idols over the years.
"I can draw inspiration from absolutely anything," says Kjell. "Music, literature, theatre and the other arts are obvious sources, but I may just as well get ideas by studying the rough contours of an outhouse wall, or noticing how the products are stacked at the local market. The patterns are sometimes beautiful, sometimes exciting, sometimes interesting in some other respect."

Such quotidian observations have led Kjell to a fascinating and very successful range of work and will undoubtedly continue to do so, bearing up the reputation of Kosta Boda, with which he has been associated since 1978, at the same time.

Skummet från forsen.

Foam from the waterfall.

Hugin.

Munin.

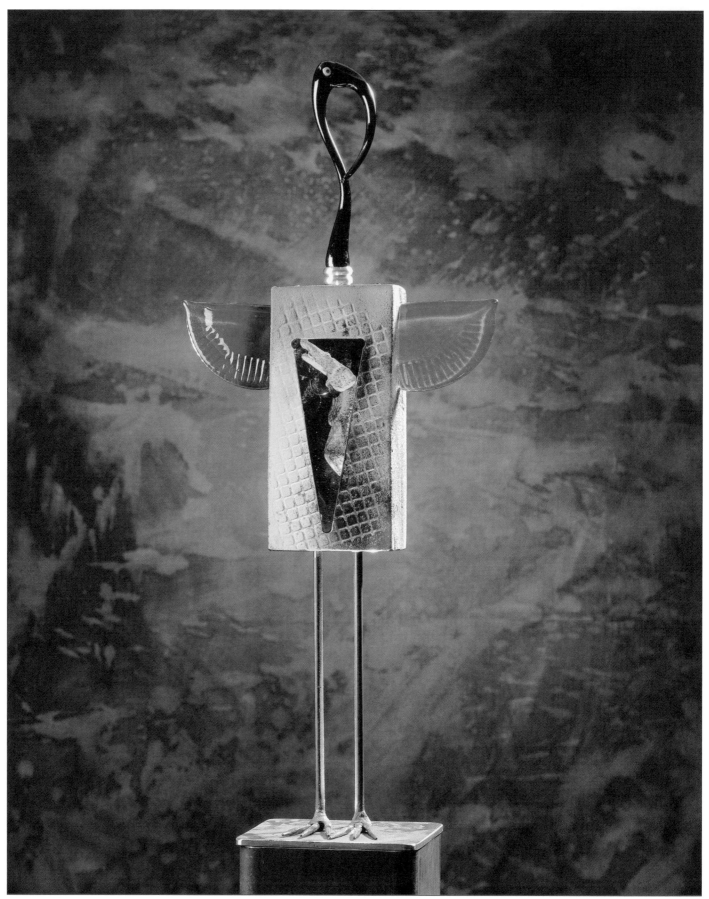

Ibisfågel.

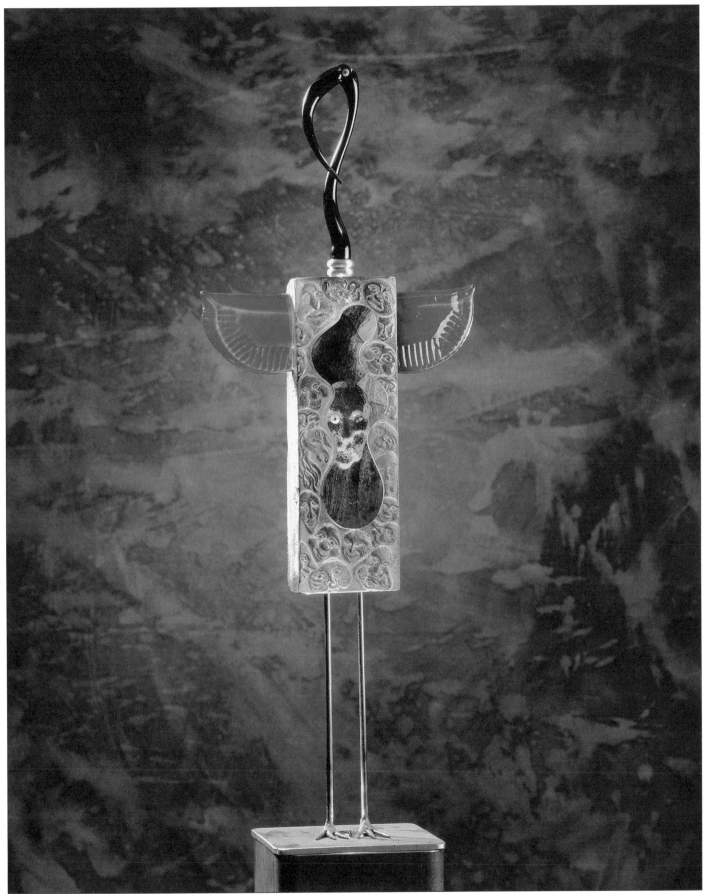

Ibis.

Ägir.

Aegir.

Murele.

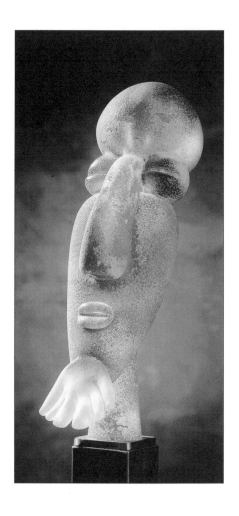

Stenandar.

Stone idols.

Magiska skogen.

Illusioner.   *Illusions.*

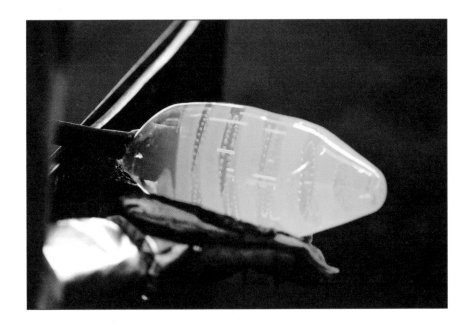

Glastrollaren

Kjell Engman hade varit i det småländska Glasriket förut. När han 1973 blev elev på Konstfack i Stockholm startade nämligen det första året med en inledande termin på glasskolan i Orrefors, följd av en andra termin på keramiklinjen i Höganäs.
– Att det blev glas i framtiden för min del berodde bland annat på att det kan göras osynligt och således har en extra dimension, förklarar Kjell. Det fängslade mig!

1976 tog han därför ett sabbatsår från Konstfack för att ta reda på vad livet som glasformgivare innebär. Kjell blev praktikant hos Bertil Vallien på glasbruket i Åfors.
– Han lärde mig fruktansvärt mycket, säger Kjell. Det var det bästa året under hela min utbildning.

Kjell lärde sig bland annat att skulptera negativt i formar av grafit. Och i glasblåsarknepens svåra kost fick han undervisning hos den så kallade Lördagsakademien, då en glasblåsarmästare under helgerna höll föreläsningar med demonstrationer framför ugnarna i Åforshyttan.
– Jag kan blåsa glas, men är numera inte särskilt duktig, säger Kjell. För det fordras det daglig träning.
Han funderade emellertid ganska länge på att blåsa sitt eget glas i en egen studiohytta. Det var lika populärt då som nu.

Conjuror in Glass

Kjell Engman had visited Småland's glassmaking region before. When he embarked on his studies at Konstfack, the University College of Arts, Crafts and Design in Stockholm, he began with a prefatory semester at the glass school in Orrefors, following it with a semester in the ceramics programme at Höganäs.
"One reason I chose glass was because it can be made invisible, and thus has an extra dimension," says Kjell. "It captured my imagination." He took a sabbatical from Konstfack in 1976 to explore what life as a glass designer might entail, ending up as an apprentice to Bertil Vallien at Åfors glassworks.
"He taught me an awful lot," says Kjell. "It was the best year of my education." He learned to sculpt bas-relief designs in graphite. The arcane tricks of the glassblowing trade were revealed at the "Saturday Academy"; master glassblowers would hold weekend lectures with demonstrations before the furnaces of Åfors.
"I can blow glass, but I'm not especially good at it any more," says Kjell. "You need daily practice for that." He long considered doing his own glassblowing at a personal studio, however. The studio scene was as popular then as it is today.

- Men jag insåg snart att jag skulle bli hårt bunden till en egen hytta, förklarar Kjell. Att släcka ugnen en månad för att åka till USA skulle vara ekonomiskt omöjligt.

Och så trivdes han ju så förbaskat bra i glasbruksmiljön. Det upptäckte legendariske Kosta Boda-chefen Erik Rosén, som anställde Kjell Engman i Boda direkt efter hans examen på Konstfack 1978.

- Jag behövde en komplett formgivare, berättar Erik Rosén. En som var både tekniskt kunnig och fantasifull.

- Och det var Kjell Engman redan då!

Den begåvningen visade den nyanställde formgivaren prov på redan under det första året på Boda glasbruk, där han av Erik Rosén fick det mycket specifika uppdraget att ta fram en skål för den svenska turistmarknaden. Det skulle vara med midsommarstång, schottis och allt. Dessutom skulle den säljas i blågul kartong!

- Den centrifugerade skålen Raphsody blev mitt första bidrag till produktionen i Boda, säger Kjell. Den har sålts i hundratusentals exemplar – mamma fick sex stycken av olika gratulanter när hon fyllde sextio år – och den finns fortfarande kvar i sortimentet.

Och kvar finns också Kjell Engmans delvis drejade – det heter faktiskt så – ljusstakar med namnet Fanfar från 1982. Även de har betytt mycket jobb och pengar för glasbruket.

Det tycker Kjell Engman är roligt. Varje inkommen order är ju ett kvitto på att kunderna gillar det han gör.

- Att formge grejer som uppskattas av en större publik upplever jag som mycket meningsfullt, säger han.

Och uppskattad blir man om man gör positiva grejer i varma färger med en gnutta humor. Det har Kjell med eftertryck bevisat med serier som till exempel Can Can, Bon Bon och Twister.

- Ingen vill väl köpa en pryl för att bli deppad, säger han.

Idén till Bon Bon fick Kjell i en godisaffär. Idén till de transparentfärgade flaskorna i serien Fidji fick Kjell när han av misstag knuffade ner en burk olja i sitt badkar.

- Då bildades det ett tunt, regnbågsfärgat skikt på ytan, minns han.

Kjell har jobbat med silkscreen på sina Månads-

"I quickly realised that I would be very much tied down by a studio of my own, though," says Kjell. "Shutting down the furnace for a month and going to the United States would be an economic impossibility." He loved the environment of a glassworks, too.

This was discovered by legendary Kosta Boda director Erik Rosén, who hired Kjell Engman to work at Boda as soon as he finished his studies at Konstfack in 1978. "I needed a complete designer," says Rosén. "One who had both technical skills and a rich imagination. Kjell Engman fit the bill from the start."

The newly hired designer demonstrated his talent during his first year at Boda glassworks, where Erik Rosén gave him a very specific assignment: develop a bowl for the Swedish tourist market. It should have a traditional maypole, dancers and all. And it would be sold in packaging with Sweden's yellow and blue colours. "The centrifuged bowl Rhapsody was the first piece I had go into production at Boda," Kjell relates. "Since then, hundreds of thousands have been sold – my mother received six of them from different friends on her sixtieth birthday – and it is still a staple of the Kosta Boda range."

Kjell Engman's partially "thrown" candlesticks – that's the term that's used, as if they were pots – are another survivor, sold under the name Fanfare since 1982. They too have accounted for many jobs and a stronger cash flow for the glassworks. That pleases Kjell. Every order that comes in is further proof that customers like what he does.

"Designing things that appeal to a large audience is something I find very meaningful," he says. And positive pieces in warm colours with a humorous twist have a great deal of appeal. Kjell has proven the truth of this adage again and again with collections such as Can Can, Bon Bon and Twister. "Nobody wants to buy something depressing," he says.

The inspiration for Bon Bon came to Kjell in a sweet shop. The idea for his shimmering Fidji bottles resulted from an accident, when he knocked a bottle of oil into his bathtub. "A thin, rainbow-hued layer formed on the surface of the water," he says.

Kjell employed a silkscreen technique for his bowls, but made his Fenix collection, released in

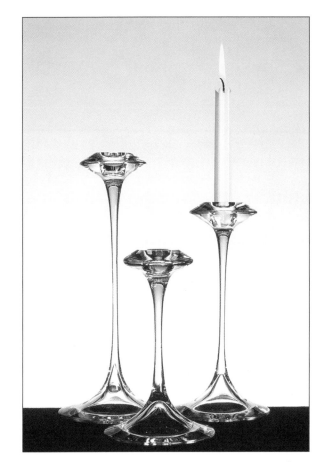

Raphsody.   *Rhapsody.*   *Fanfar.*   *Fanfare.*

skålar och i klarglas gjort serien Fenix, som kom ut till Kosta glasbruks 250-årsjubileum 1992.
– Fast skänklarna är i färg, påpekar han.
Och färg har också de sammanpusslade pluntorna med namnet Macho, som kom ut förra året. De visar vad som händer med de riktigt grabbiga Grabbarna efter en blöt herrmiddag.
– Den gulbrune vill dansa och den gulgröne har fått ångest inför det kommande mötet med frun därhemma, förklarar Kjell. Den blå tycker plötsligt att han har blivit charmerande vacker och nyper därför servitrisen i rumpan!

Den grå tonen i serien Fossil har Kjell hittat vid havskanten intill sitt hem på östra Öland.
– Fem centimeter under ytan finns det kalksten med den färgen, berättar han. Jag använder nyansen just nu i utställningen Vid källan, där det enbart handlar om konstglas.
Och från en annan utställning med eget konstglas är också idén till djurhudsskålarna i serien Safari hämtade.

Sedan dansade hans glasvildar upp till trummornas dån i Vänersborg!

conjunction with Kosta glassworks' 250th anniversary in 1992, in clear glass. "The handles are in colour, though," he notes.
More colour is in evidence in the patchwork flasks called Macho, which came out last year. They illustrate what happens to the most boyish of old boys after a particularly well lubricated evening at the club. "The yellow-brown one wants to dance, while the yellow-green one is already starting to worry about facing his wife," says Kjell. "The blue one suddenly decides he's a handsome charmer, and pinches the waitress's bottom."
Kjell found the grey hue of the Fossil collection near his house on the eastern shore of Öland. "That's the colour of the limestone two inches under the surface," he says. "I'm using the hue right now in the art glass exhibition At the Spring."
Another exhibition of art glass gave him the idea for the animal hide patterns of his Safari collection.
And his glass natives danced to the beating of the drums in Vänersborg...

Bon Bon.

Bon Bon.

Can Can.

Can Can.

Twister.

Fossil.

Fidji.

Nordic, föregångare till månadsskålarna.

Nordic, the predecessor of the month bowls.

Månadsskålen Oktober.

Month bowl October.

Fenix.

Fenix.

Macho.

Macho.

Safari.

Glasvilden

Till Vänersborg inbjöds nämligen sommaren 1994 ett trettiotal glaskonstnärer från arton nationer av konsthandlaren Bo Knutsson till ett omfattande seminarium med hytta, workshop och allt. Kjell Engman var en av dem.

Han hade tio år tidigare börjat intressera sig för afrikansk mytologi och ville nu visa vad han kunde. En afrikansk riksdag sammankallades således i Vänersborg!

Där fanns naturligtvis översteprästen, stamhövdingarna och krigarna. Och så förstås det vanliga vilda fotfolket, som dansade sig i extas för att komma i kontakt med andarna.

– Förmodligen för att be om regn, säger Kjell. Det hade nog varit torrt länge. Bara någon månad före vernissagen hade Kjell fått reda på att hans glaspjäser skulle ställas ut i en gammal biograf. Den hade dessutom en teaterscen och det ställde till problem.

– De dansande vildarna ställde jag på golvet och scenen var ju en utmärkt plats för översteprästen och de andra stamhöjdarna, förklarar Kjell. Men då fick jag den stora vita filmduken som en, i det här sammanhanget, mycket olämplig bakgrund.

Kjell löste det hela genom att tillsammans med nioåriga dottern Lova och tolvårige sonen Kåre handmåla mer än tvåhundra diabilder, som sedan via två projektorer kunde bomba den vita duken med snabba stämningsbilder till trummornas dån.

– Det var första gången jag själv komponerade min utställningsmusik, förklarar Kjell Engman, som har rest mycket i samtliga världsdelar utom i en – Afrika!

Untamed glass

In the summer of 1994, some thirty glass artists from eighteen countries were invited to Vänersborg by art dealer Bo Knutsson for a far-ranging seminar with a blowing room, workshops and all. One of them was Kjell Engman. Ten years previously, he had begun to take an interest in African mythology, and now he wanted to show what he had learned. So a gathering of the chiefs was called in Vänersborg.

There were a high priest, tribal chiefs and warriors. And a host of foot soldiers, dancing ecstatically to contact the spirits. "Probably praying for rain," says Kjell. "I expect there had been a long drought." Just a month before the opening, Kjell discovered that his glass was to be displayed in an old cinema. It had a stage, too, and therein lay the problem. "I put the wild dancers on the floor, and the stage was a perfect place for the high priest and the other tribal chiefs," he explains. "But then I ended up with a huge white screen as a background – very inappropriate under the circumstances."

Kjell solved the problem by handpainting over two hundred slides together with his nine-year-old daughter Lova and his twelve-year-old son Kåre. Two projectors bombarded the screen with rapid-fire atmospheric pictures to the beat of the drums. "It was the first time I composed my own exhibition music," says Engman, who has travelled to every corner of the world save one: Africa.

Glasvildar i sjön. Foto: BO ZAUDERS   *Glass savages in the lake.* Photo: BO ZAUDERS

Afrikansk beskyddarmask.

African guardian mask.

Översteprästen med väktare.

High priest with guards.

Krigare.

Warriors.

Afrikanska hottentotter.

African Hottentots.

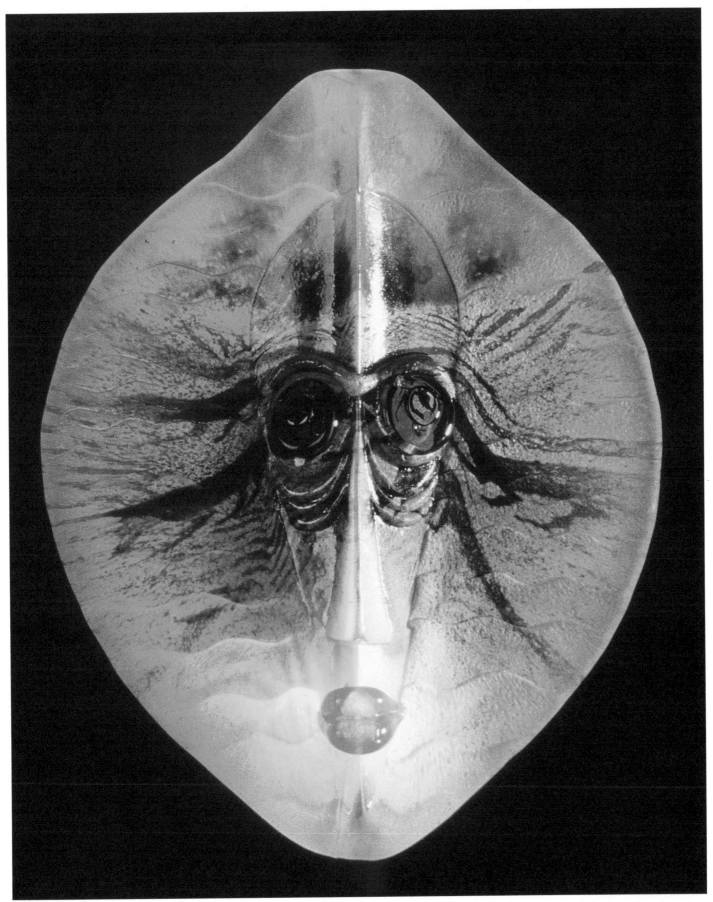

Ceremonimästare.

Master of ceremonies.

Vapenvila.

Cease fire.

Elefantmannen.

Elephant man.

Väktare.

Guards.

Kunglig kröning.

Royal coronation.

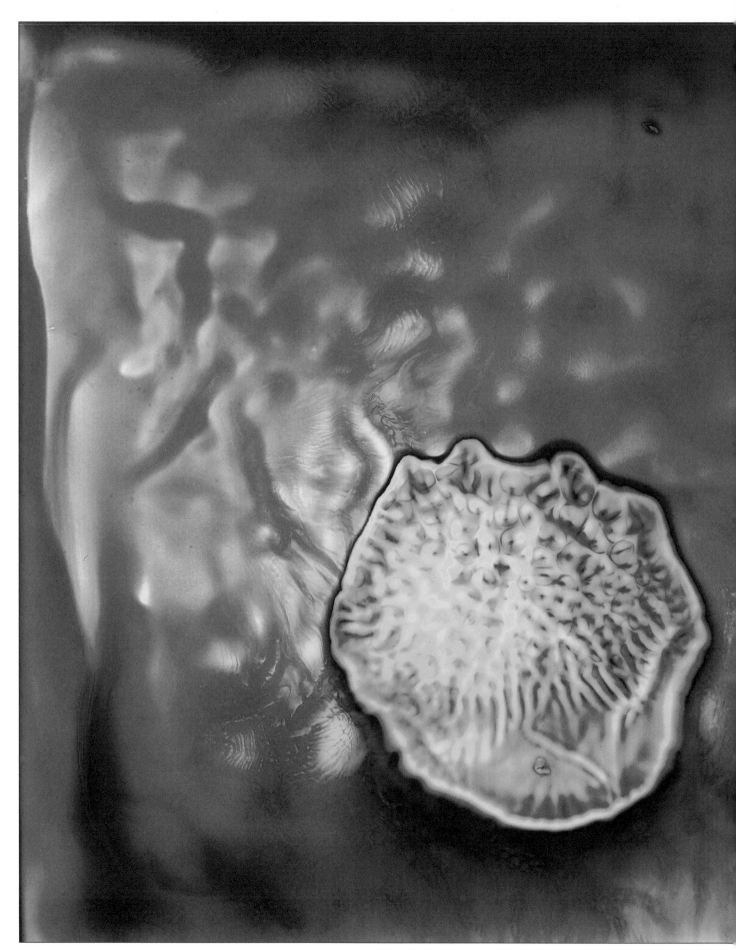

Afrikansk soluppgång, handmålat dia.

African sunrise, handpainted slide.

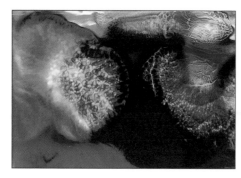  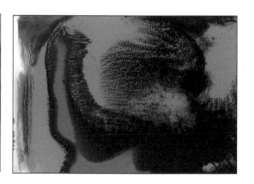

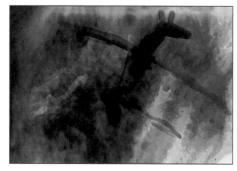 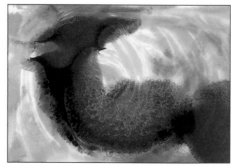 

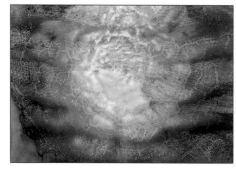  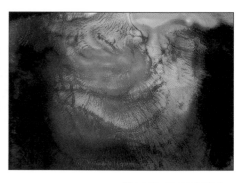

Handmålade dior.

Handpainted slides.

48

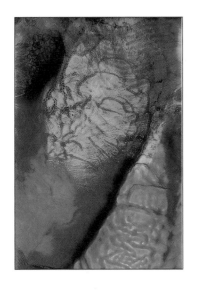
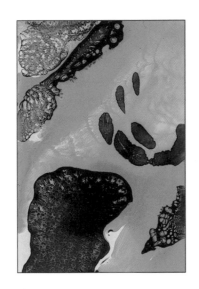
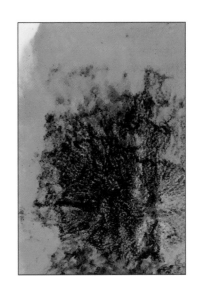
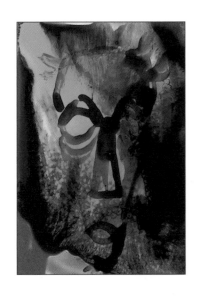
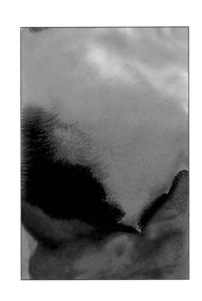

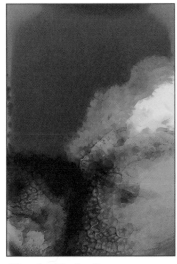
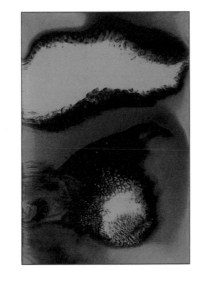
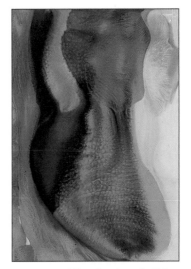

Handmålade dior.

Handpainted slides.

49

Småländska hottentotterna Engman och Bremberg.   *Småland Hottentots Engman and Bremberg.*

Kjells ateljé i Boda.　　　　　　　　　　　　*Kjell Engman's studio in Boda.*

Experimentören

Kjell Engmans ateljé i Boda är nästan fylld av intressanta glasbitar från misslyckade experiment.

– Som jag har lärt mig mycket av, säger han. Och som jag någon gång i framtiden skall lyckas med. Kjell gillar att lösa problemen direkt framför ugnen. Visst är han en mycket skicklig tecknare och gör – eller rättare sagt gjorde en gång i tiden – väldigt fina skisser, men de verkliga godbitarna skapar han i hyttan.

– Att experimentera framför ugnen kan liknas vid det som sker i läkemedelsindustrins laboratorium, förklarar Kjell. Ett stort antal misslyckanden leder till slut utvecklingen framåt.

Kjell vet vad han talar om. Under de fem första åren i Boda provade han nästan respektlöst vad glaset tålde som material. Förvrängde proportioner och gjorde skulpturer av enkla vardagsvaror.

Experimentalist

Kjell Engman's studio at Boda is very nearly brimful of interesting glass pieces left over from failed experiments. "From which I've learned a great deal," he says, "and with which I will succeed sometime in the future."

Kjell likes to work out problems directly, in the blowing room. He is, to be sure, a fine draughtsman, and makes – or rather made – exquisite drawings, but nowadays he pulls the real gems straight out of the furnace. "My experiments in the blowing room can be compared to what goes on in the laboratory of a pharmaceutical company," he says. "The work moves forward on the shoulders of a vast number of failures."

Engman knows whereof he speaks. His first five years at Boda entailed an almost insolent testing of what glass would put up with as a material. He distorted proportions and turned simple, everyday products into works of sculpture.

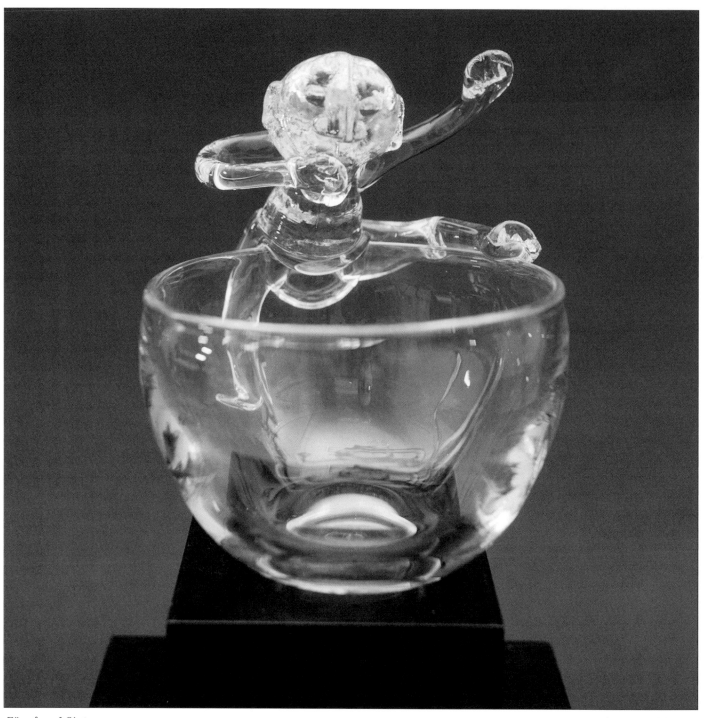

Förvånad Sixten.

Surprised Sixten.

Sixten var en klättrande glasgubbe, som hade sitt eget kropps- och formspråk. Han kunde vara häpen eller arg, uttrycka styrka, glädje och aggressivitet.

Kroppen och huvudet gjöts i form och var likadana för alla pjäserna. Armarna och benen klipptes däremot på och formades så att hans kropp ändå kunde förmedla olika sinnesstämningar.

Sixten was a little climber made of glass, with a body language and a design idiom all his own. He could express surprise or anger, evince strength, joy or aggression.

The body and head of all the pieces were cast in moulds and were identical. The arms and legs were applied later and shaped to allow the bodies to express different moods.

Självsäker Sixten.

Self-confident Sixten.

53

Gutår på er!

Cheers!

Handen. I slutet av 60-talet hade Kjell Engman arbetat med icke hörande barn på Västanviks folkhögskola i Dalarna.
– Jag kan tala med händerna, säger han.

Och det gjorde Kjell också med de händer, som han i början av 80-talet började gjuta i grafitformar. Med varmhandskar på sina egna händer böjde han de uppvärma glashänderna så att de kunde uttrycka olika sinnesstämningar och situationer.

– En grov hand som håller ett skirt glas tyder på kalas, anser Kjell. Ett sådant glas använder förmodligen inte handens ägare själv därhemma.

Hand. In the late sixties, Kjell Engman worked with deaf children at Västanvik Folk High School in the northerly province of Dalarna. "I can talk with my hands," he says.
So too could he speak with the hands he began casting in graphite moulds in the early eighties. Covering his own hands with industrial oven mitts, he bent the hot glass hands to express various moods and situations.

"A rough hand holding a delicate glass suggests a party," says Kjell. "The owner of that hand probably wouldn't be using a glass like that at home."

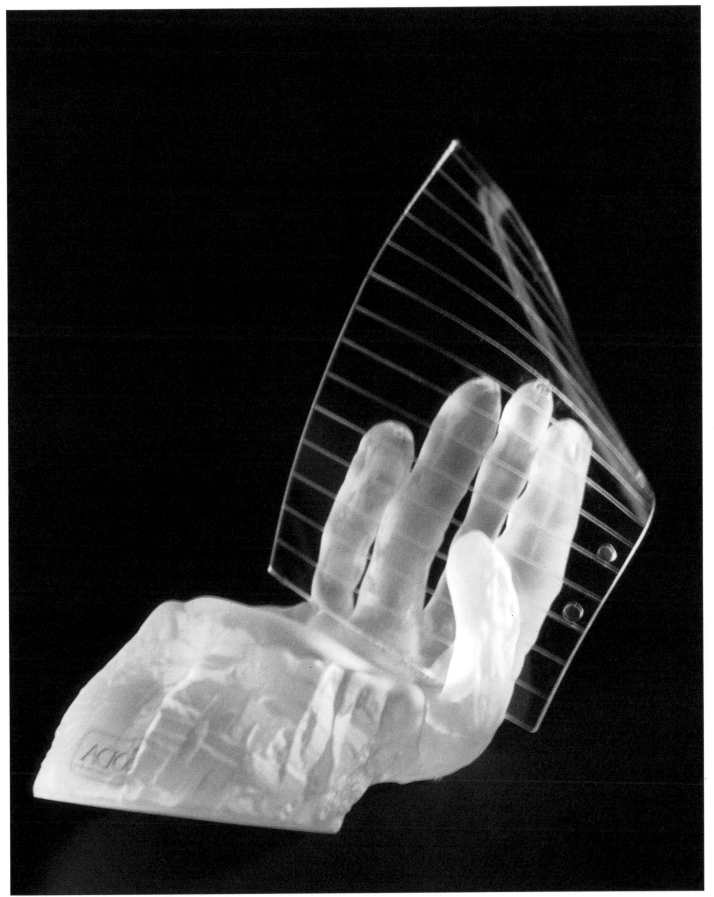

Hand med papper.

Hand with paper.

55

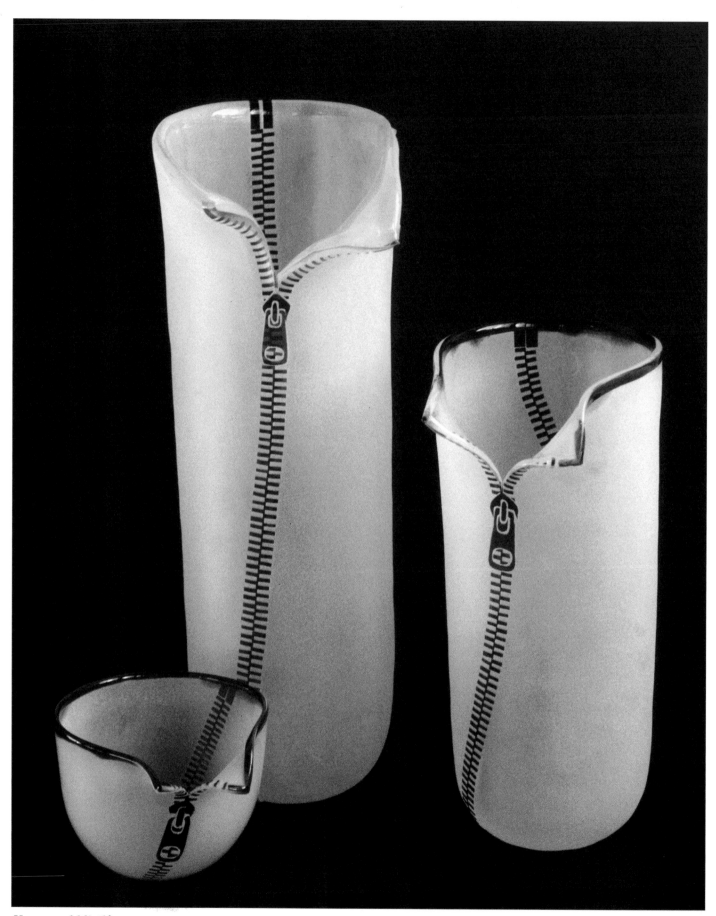

Vaser med blixtlås.

Vases with zippers.

Skål med glasögon.

Bowl with glasses.

Blixtlåset var en av de vardagsvaror, som Kjell gjorde spännande skulpturer av.
– Ett halvöppet blixtlås bryter ju – både bildligt och i praktiken – formen, förklarar han.

De små piggarna klippte Kjell ut i blästertejp och klistrade dem på faten, skålarna och pokalerna, som sedan sandblästrades.

– Ett pilligt jobb, säger glastrollaren, som också satte *glasögon* på många av sina prylar.

The Zipper is one of the everyday objects with which Kjell has made exciting sculptures. "A half-open zipper breaks open a shape both literally and figuratively," he says.
Kjell cut the tiny teeth out of sandblasting tape, placing the protective template on dishes, bowls and goblets before sandblasting them. "It takes a lot of cutting and pasting," says the conjuror in glass, who has put *eyeglasses* on many of his pieces, too.

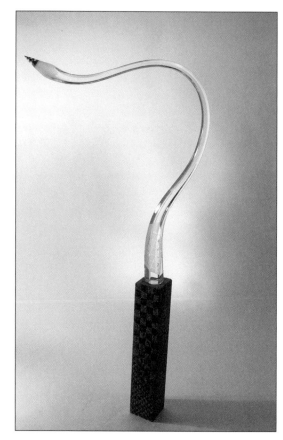

Pennor.

Pencils.

Papper och penna ingick i ett temaarbete, som Kjell Engman kallade Kommunikation. Båda grejerna är ju enkla vardagsvaror av stor betydelse.
– Ändå tittar du bara en gång på pennan, säger Kjell. Och det är när du köper den.

Kjell vände och vred på pennan så att den skulle få uppmärksamhet. Och han gjorde det så framgångsrikt att det så småningom blev penslar och paletter också.

Paper and Pencil were part of a thematic work that Kjell Engman called Communication. Both objects are simple, everyday items of great significance. "Even still," he says, "you only ever look at a pencil once, and that's when you buy it."

Kjell twisted and turned the pencil to make it more interesting. And did it so successfully that he ended up moving on to brushes and palettes, too.

Pappersark.

Paper.

Penslar på palett.

Brushes on a palette.

En häst …   *A horse...*

Hästen experimenterade Kjell mycket med helt enkelt därför att han alltid har gillat den.
– Jag klämde ofta in en häst även om den inte hade med det aktuella temat att göra, säger han.

Så det finns gott om munblåsta, skulpterade, gjutna och stöpta kusar i Kjells tidiga produktion.
– Vi gjorde till och med hästar i graalteknik, berättar han.

Familjen Engman har två hästar i sin ägo. De är sanslöst vackra, tycker Kjell, som dock har stor respekt för dem.

– Hästar utstrålar styrka och energi, säger han. De bits framtill och sparkar där bak, men kan ändå vara fogliga och snälla.

The Horse has been the subject of much Engman experimentation for the simple reason that he has always liked them. "I often threw in a horse even when it had nothing to do with the theme at hand," he says.
And so there are a great many mouth-blown, sculpted, cast and moulded horses among Kjell's early production. "We even made horses in graal," he says.
The Engman family owns two horses. They are sublimely beautiful, in Kjell's opinion, but he has the greatest respect for them. "Horses radiate strength and energy," he says. "They bite in front and kick in back, yet they can be so kind and gentle."

... och en annan häst.

...and another horse.

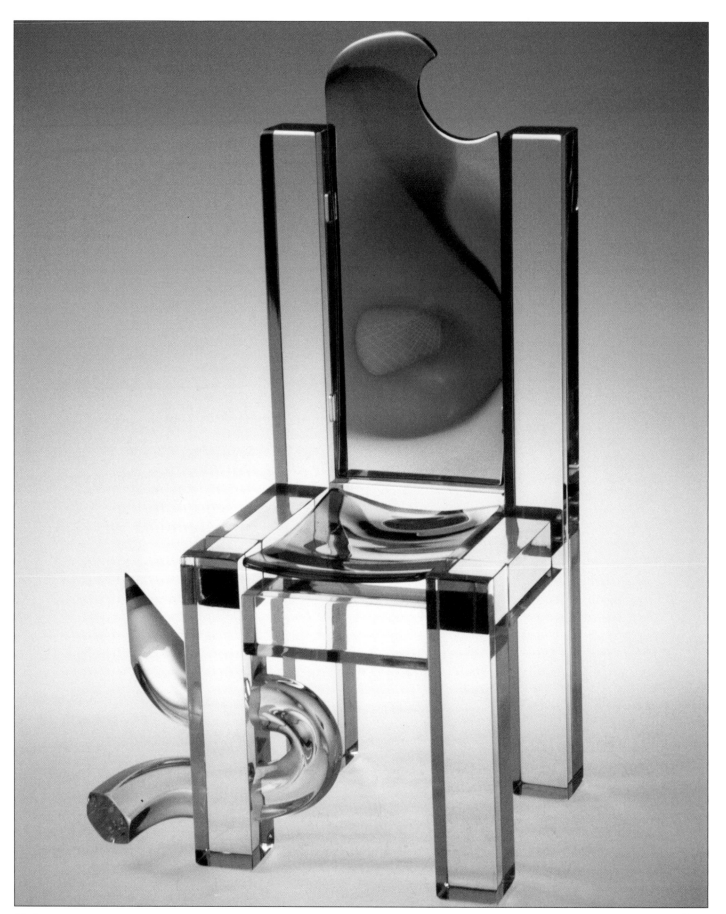

Stol.

Chair.

Fri såsom fågeln.   *Free as a bird.*

Stolar och fåtöljer är ju också en vardagsvara av stor betydelse. I glas blev de präktiga skulpturer. Själva ramarna sågade Kjell till ur glasstavar. Ryggstöden och sitsarna sågade han fram ur stora, färgade glasfat. Sedan limmade han ihop de olika delarna.
– Slipningen måste vara hundraprocentig, säger Kjell. Annars fäster inte limmet.

Fåtöljer – speciellt gamla engelska – borde vara gungstolar. Det tycker Kjell Engman, som i sina glasvarianter har försett dem med medar.
– Det skulle innebära ett lugnare och fredligare liv, tror han.

Chairs are everyday items of great significance. Rendered in glass, they are splendid sculptures. Kjell sawed the frames from glass rods; he sawed the backrests and seats from big, coloured glass dishes. Then he glued together the parts. "The cutting has to be perfect," he says, "otherwise the glue won't hold."

Armchairs – especially the old English variant – really ought to be rocking chairs. That's Kjell Engman's opinion, anyway, and his glass versions are therefore equipped with rockers. "It would make for a calmer, more peaceful life," he says.

Farmors gungstol.

Grandmother's rocking chair.

Välkommen till Cirkus.　　　　*Welcome to the Circus.*

Glasclownen

I mitten av 1980-talet fastnade Kjell Engman – på grund av ett försenat plan – en hel dag på Sidneys flygplats. Han använde tiden till att studera ansikten.

– Då lärde jag mig att vi alla bär masker, säger han. En trött, sur och halvfull gubbe kan plötsligt bli leende artig, när han stöter på en bekant.

Det var en viktig observation inför Kjells utställning 1989 på Galleri 49 i Umeå. Till den hade han gjort en mängd småprylar – skulpturer, tallrikar och pluntor.

– Men jag saknade ett blickfång, säger Kjell. En ordentlig centerpiece, som kunde dra ögonen till sig. Han hade försökt med en färgrik totempåle, men den blev inte bra. Så i stället byggde han upp en hel cirkus med manege och allt under sina tidigare tillverkade ballonger i regnbågens alla färger. Mitt i manegen ställde han cirkusprinsessan.

Och så fyllde han på med olika yrkesgrupper i clownmasker. Militären fanns där, liksom till exempel sjuksköterskan, prästen och snickaren. Om den fiskande dansören och den skateboardåkande ladyn finns det särskilda historier.

– Temat Cirkus blev lyckosamt, berättar Kjell. Det tillverkades och såldes cirka 250 unikat.

Glass clown

In the mid-eighties, a delayed flight forced Kjell Engman to spend a whole day at the airport in Sydney. He spent the time studying faces. "What I learned was that we all wear masks," he says. "A tired, ill-tempered, half-drunk middle-aged man can suddenly turn polite and all smiles if he runs into someone he knows."

This turned out to be an important observation for Kjell, as he prepared for his 1989 show at Galleri 49 in Umeå. He had made a wide range of small pieces for it – sculptures, dishes and flasks. "But I needed a showstopper," he says. "A real centrepiece that would catch everyone's eye." He tried to make a colourful totem pole, but it didn't turn out very well. Instead, he constructed an entire circus with a ring, suspending above it some older glass balloons in all the colours of the rainbow. In the centre of the ring he placed the circus princess.

Then he added people from various walks of life – a soldier, a nurse, a vicar, a carpenter – all in clown masks. The dancing fisherman and the skateboarding lady are stories in themselves.

"The Circus theme was a success," says Kjell. "Some 250 unique pieces were produced and sold."

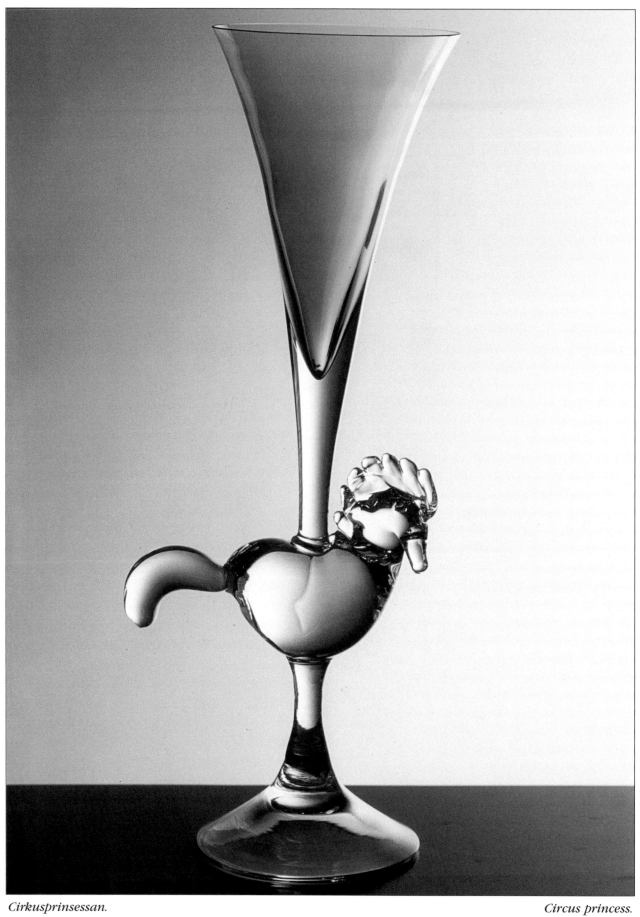

Cirkusprinsessan.

Circus princess.

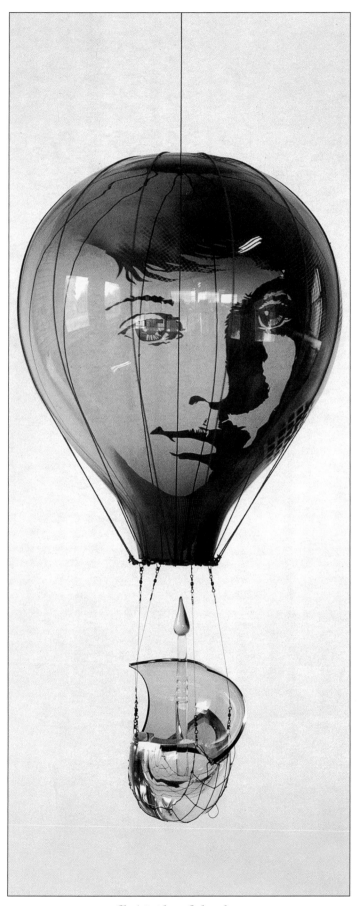

Christopher Columbus.

Trapetskonstnärer.   *Trapeze artists.*

Militären.

Soldier.

Snickaren.

Carpenter.

Lindansaren.

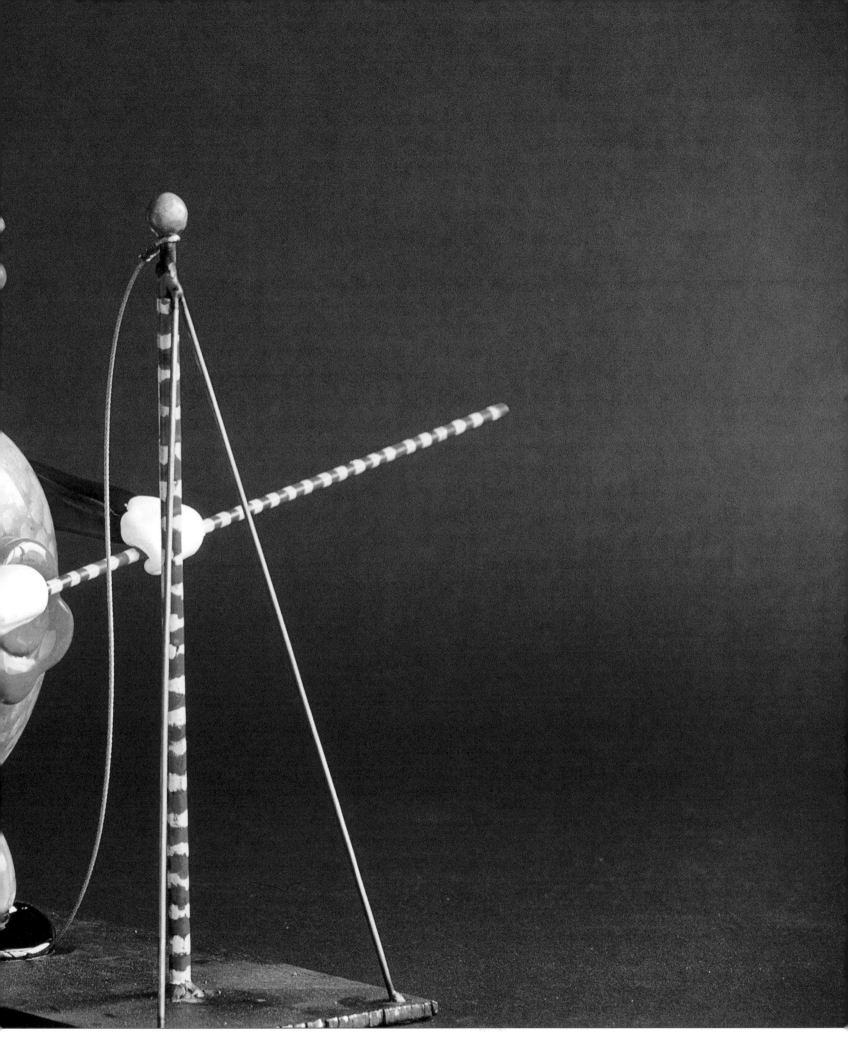

Tightrope walker.

Nattflanören.

Evening stroller.

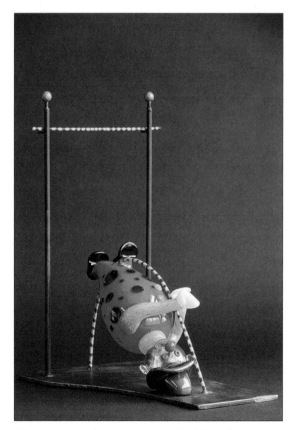

Kom jag över?   *Did I make it over?*

Toan.   *Lavatory.*

Den dansande fiskaren såg Kjell på en utomhus-dansbana i Norrland. Han minns inte var och när, men händelsen glömmer han aldrig.
– Mannen hade alldeles säkert blivit strängt ditkommenderad av sin fru för att dansa, berättar Kjell. Han hade en ryggsäck på sig.
Den stackars mannen svängde svårt plågad omkring i den första dansen med sin hustru. Sedan fick hon roa sig med andra.
Själv försvann maken mot närmaste fjällsjö med sitt fiskespö i ränseln!

The Dancing Fisherman was someone Kjell spotted at an outdoor dance pavilion in northern Sweden. He can no longer remember where or when, but it's an occasion he will never forget. "The man had obviously come to the dance on the strict orders of his wife," says Kjell. "The unfortunate was wearing a knapsack. He danced the first dance with his wife, obviously in deep agony. After that, she had to make do with other partners. Her husband escaped to the nearest mountain lake, his fishing rod tucked in the knapsack!"

Den skateboardåkande ladyn såg Kjell någon gång på 60-talet i Örebro Brunnspark, då han tillsammans med övriga grabbar i sin orkester fikade mellan spelningarna på den moderna dansbanan. Utanför gammeldansbanan låg ett rullbräde.

– Den något bedagade och beruskade ladyn kom ut efter en schottis, berättar Kjell. Hoppade upp på brädan och susade i hög fart ner mot den moderna dansbanan, där hon elegant hoppade av och gick in för att dansa rock'n'roll!

The Skateboarding Lady was a woman Kjell had seen at Örebro Brunnspark, another dance pavilion, in the sixties. Along with the other members of his band, he was drinking coffee between sets at the modern dance pavilion. Outside the old-time dance pavilion was a skateboard. "The lady, tipsy and somewhat past her prime, came out after a schottische," says Kjell. "She jumped on the board and rolled away at high speed toward the modern dance pavilion, where she elegantly jumped off and went in to dance to the rock 'n' roll!"

Cenneth Lundholm   Orgel, Vibrafon
Berth Carlson   Sologitarr, Vokalist
Clay Agemyr   Kompgitarr
Kjell Engman   El-Bas
Jan Nordström   Trummor

Ett gäng som vill roa
ung som gammal
med en trivsam danskväll
eller scenuppträdande

KJELL ENGMANS

ORKESTER

från ÖREBRO

Om orkestern intresserar Er så ring gärna
Svenska Musikerforbundet, Te 126196
Kap. Kjell Eng on,   Te 187629

Elbasisten Engman stående längst till höger.   *Bassist Engman stands at far right.*

Glasmusikanten

Kjell Engman hade alltså en egen orkester. Den bildade han som 17-åring i hemstaden Örebro och åkte sedan omkring och spelade på dansbanorna i Närke.

– Det var mycket Beatles på den tiden, minns orkesterledare Engman, som spelade ståbas i basset.

Pappa frisörmästaren Lennart Engman – han avled 1961 då Kjell bara var femton år gammal – hade också haft ett eget dansband. Han spelade massor av instrument, men i offentliga sammanhang mest gitarr, fiol och trumpet.

Glass musician

Kjell Engman had his own band. He started it when he was 17 years old in his hometown of Örebro, and toured the dance pavilions of Närke province.

"The Beatles were the thing back then," says bandleader Engman, who played upright bass.

His father Lennart Engman, otherwise a barber – he died in 1960, when Kjell was just 15 years old – had also had a dance band of his own. He played a range of instruments, but in public he usually stuck to guitar, fiddle and trumpet.

Wild West Five. Kjell Engman längst till höger.

Wild West Five. Kjell Engman at far right.

Merchant Team. Kjell sittande i mitten.
Brodern "Enke" Engman längst till vänster.

Merchant Team. Kjell seated in the middle.
At left is his brother, "Enke" Engman.

1965 ombildades Kjell Engmans orkester till countrybandet Wild West Five.
– Vi var ett gäng knasbollar, minns Kjell. Men vi hade massor av spelningar.

Och ännu fler spelningar på klubbar, pubar och restauranger blev det då bandet 1968 döptes om till Merchant Team och började spela blues med lillebror Bengt "Enke" Engman på gitarr.
– Vi hade framträdanden över hela Skandinavien, berättar Kjell.

In 1965, Kjell Engman's band went country, becoming the Wild West Five. "We were a bunch of screwballs," says Kjell. "but we played a lot of gigs."
The band spent even more time playing clubs, pubs and restaurants in 1968, when they changed their name to the Merchant Team and started playing the blues with Kjell's younger brother Bengt "Enke" Engman on the guitar. "We played all over Scandinavia," says Kjell.

Fiolspelaren
av Kjell Engman.

Fiddler
by Kjell Engman

Det här gav inga höga betyg i skolan, där Kjell mest rapporterades som saknad. Det oroade mamma Märtha Engman.
– Man kan inte livnära sig som artist, sade hon mycket bestämt. Skaffa dig ett riktigt yrke som din far gjorde, så kan du hålla på med det andra också. Kjell lydde och började år 1970 på Leksands folkhögskolas estetiska linje. Där träffade han dalkullan Eva Möller, som nu är hans hustru.

Vad som sedan hände berättade Kjell för några år sedan mycket kärnfullt för närmare niohundra varmt skrattande glasentusiaster på varuhuset Bon Marché i Seattle. Via en projektor illustrerade han sin bara delvis sanna saga – Eva och Kjell träffades ju i Dalarna och inte i Småland – med följande bilder:

None of this helped Kjell's marks at school, where he was most often chalked up as absent. This concerned his mother, Märtha Engman. "You can't support yourself as a musician," she said with maternal emphasis. "Get yourself a real job like your father did, and you can keep playing on the side."

Kjell obeyed, enrolling in the aesthetics program at Leksand Folk High School in 1970. There he met a local girl, Eva Möller, who is now his wife. What happened next was the subject of a talk Kjell gave to nearly 900 laughing glass enthusiasts at the Bon Marché department store in Seattle. Using a projector, he illustrated a somewhat revised version of the tale – in fact, they met in Dalarna province, not Småland – with the following pictures:

Tidig Engman.　　　　　　　　　　　　　　*Early Engman.*

Scandal beauty

"Det var en gång en fattig studerande, som efter examen på Konstfack i storstaden flyttade till det småländska Glasriket för att finna lyckan.

Från hettan i hyttan sökte han svalka i djupa skogar och blånande sjöar. Där fann han sin scandal beauty och gifte sig med henne.

De köpte ett slott i Gransjö med en fantastisk inhägnad, som var på väg tillbaka till naturen."

Scandal beauty

"Once upon a time, there was a poor student who, after graduating from Konstfack in the big city, moved to the glassmaking regions of Småland to seek his fortune. He sought a respite from the heat of the blowing room furnaces in the deep forests and blue lakes. There he met his scandal beauty and married her.

"They bought a castle in Gransjö with a fantastic enclosed pasture that was on its way back to nature."

Fattig studerande.   *Poor student.*

Scandal beauty.

De gifte sig.

They got married.

Slottet i Gransjö.   *The castle in Gransjö.*

Tillbaka till naturen.   *Back to nature.*

Kåre.

Lova.

"Som alla vet är konstnärer stora egoister. Jag är inget undantag. Slottets många skrymslen och vrår användes därför som förvaringsplatser för mina praktpjäser."

"När något oväntat dök upp, stoppade jag det i korgar. Bland annat mina barn, Kåre och Lova."

"As everyone knows, artists are great egotists. I'm no exception. The castle's many nooks and crannies were therefore used to store my grand creations. Whenever anything unexpected turned up, I put it in a basket. Including my children, Kåre and Lova."

Gården på Öland.

Den fattige konststuderanden har det numera riktigt bra. Han bor tillsammans med sin familj i en stor, kringbyggd gård på Öland. När solen skiner sitter Kjell gärna i skuggan och njuter av det vackra vädret.

I sidobyggnaderna till själva boningshuset har han en stor ateljé och ett alldeles eget museum, som är proppfullt av husgeråd och verktyg från 1700-talet. Med sin motorcykel gör han ofta "forskningsresor" på de små slingriga Ölandsvägarna.

Country house on Öland.

The poor art student has done well for himself. Today, he and his family live in a large country house surrounded by outbuildings on the island of Öland. When the sun shines, Kjell likes to sit in the shade and enjoy the lovely weather.

In the annexes, he has a large studio and his own museum, full to bursting with eighteenth-century tools and furnishings. He often takes his motorcycle on "voyages of discovery" along the narrow, winding roads of Öland.

Forskningsresenären.

Travelling researcher.

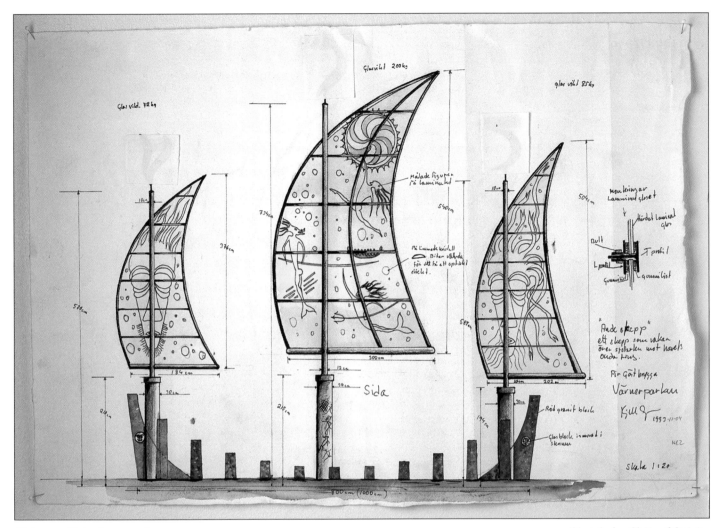

Skissen till Andarnas skepp.

Sketch for Ship of Spirits.

Utsmyckaren

Både Kjell och Eva gillar att segla. De är utbildade på Gunnars seglarskola i Ljungskile och har hyrt segelbåt varje sommar under de senaste tjugo åren.
– Den största var 36 fot lång, berättar Kjell.

Erfarenheter av livet på sjön gjorde att Kjell Engman fick uppdraget att göra företaget NCC:s present till vänersborgarna, när staden 1994 fyllde 350 år. Den heter Andarnas skepp och står med skeppssättningen i röd granit vid gästhamnen.
– I min fantasi är det ett förlist skepp som har kommit upp igen, förklarar Kjell.

Han är mycket nöjd med denna offentliga utsmyckning i laminerat glas vid Vänerns strand.
– Bland de bästa jag har gjort, säger Kjell lite extra stolt.

Decorator

Kjell and Eva both love sailing. They went to a sailing school on the west of coast of Sweden and have rented a sailing boat every summer for the past twenty years. "The biggest yet was a 36-footer," says Kjell.
In 1994, Kjell Engman's maritime experience helped win him a commission from NCC to design a gift to the residents of Vänersborg in honour of their city's 350th birthday. The result was Ship of Spirits, three masts amid a modern-day ship tumulus of red granite at the guest harbour. "I imagined a wreck that had resurfaced," says Kjell. He is eminently satisfied with this public installation of laminated glass on the shore of Lake Vänern. "It's one of the best things I've done," he says with some pride.

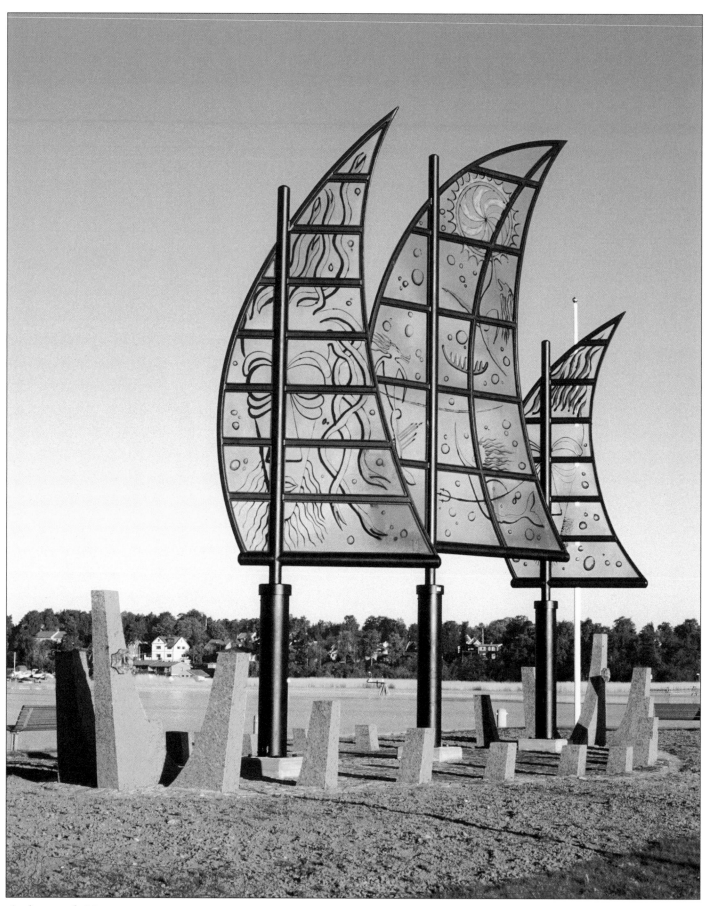

Andarnas skepp.

Ship of Spirits.

90

Tidningsfiskar.

Newspaper fishes.

På andra sidan av Vänern, närmare bestämt i Karlstad, gjorde Kjell Engman något år senare sin hittills största offentliga utsmyckning. Den heter – liksom utställningen i Ebeltoft – Myternas vatten, är tre våningar hög och finns i entrén till Nya Wermlandstidningens hus intill Klarälven.
– Jag kände mig hedrad av uppdraget, säger Kjell. Och är mycket nöjd med resultatet.

Glasskivor med rinnande vatten ger en illusion av en fors, där gäddan härskar på bottenvåningen, Näcken bor en trappa upp och Vattenandarna överst vid källan. Ett trettiotal färgglada fiskar – laxar, abborrar, ålar, rudor och stensimpor, var och en med stark personlighet – glittrar dessutom i forsen.
– De är skulpterade i glas på fri hand, berättar konstnären.

Populära i tidningshuset är de också. Extra fiskar beställdes omedelbart och hängdes upp vid de olika avdelningsskyltarna.

On the other side of Lake Vänern – more specifically, in Karlstad – Kjell Engman mounted his largest public installation to date a couple years later. Like the installation at Ebeltoft, it was called Waters of Myth. Three storeys high, it graces the lobby of the newspaper Nya Wermlandstidningen, on the Klarälven River. "I was honoured to receive the commission," says Kjell. "and I'm very pleased with the results."

Sheets of glass with running water provide the illusion of a rushing rapids, with pike lurking on the ground floor, a water wraith one storey up and water spirits at the top, near the spring. Some thirty colourful fish – salmon, perch, eel, carp and miller's thumb – each with a strong personality, glitter in the rapids. "I sculpted them freehand," says the artist.

And they are popular in the newspaper building. Extra fishes were ordered immediately and hung next to the various departments' signs.

Utsmyckningen på Nya Wermlandstidningen.   *Installation at Nya Wermlandstidningen.*

Kjell har gjort många andra offentliga utsmyckningar. Den här skapelsen, som han kallar **Drömmar**, finns på Ryhovs sjukhus i Jönköping.

Kjell has carried out many other public commissions. This piece, which he calls **Dreams**, is at Ryhov Hospital in Jönköping.

Kommunikation finns på Erik Dahlbergsgymnasiet i Jönköping.

Communication is at the Erik Dahlberg upper-secondary school in Jönköping.

Apollo och de nio muserna *hänger på*
Konserthuset i Växjö.

Apollo and the Nine Muses *is mounted at the Växjö*
concert hall.

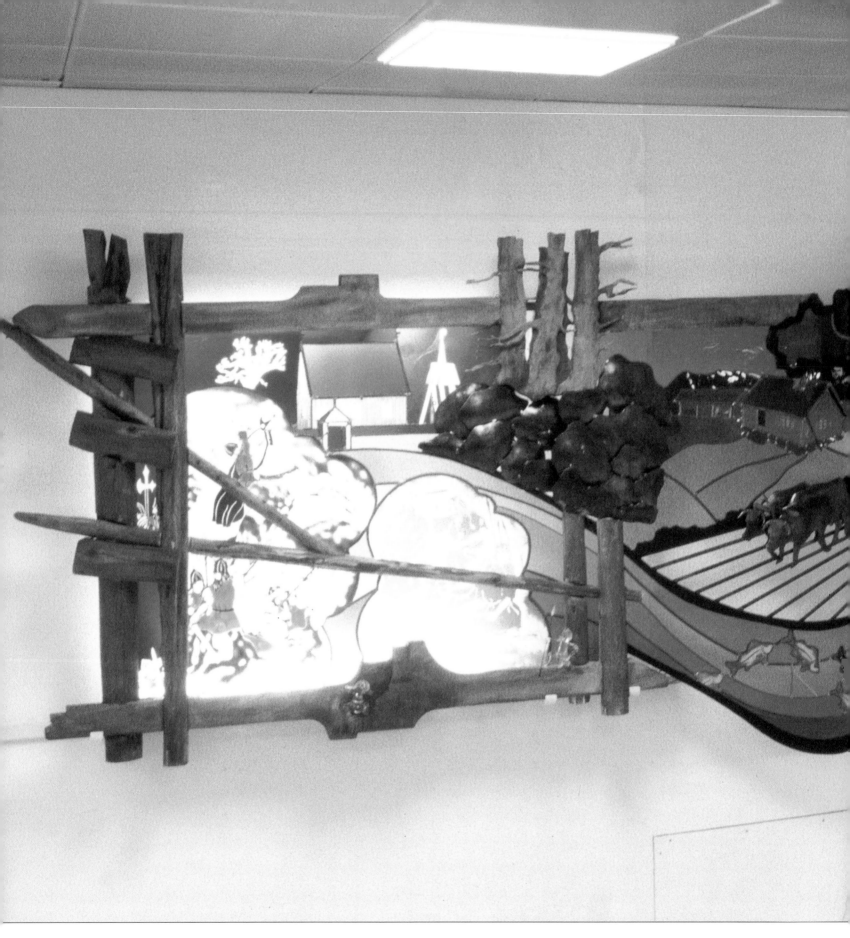

Sven Håkanssons vandring i tiden. På
Sparbanken i Nybro gjorde Kjell 1979 sin första
offentliga utsmyckning. Den skildrar bygdens

historia från 1500-talet, då bondsonen Sven
Håkansson blev majoren på Ebbehult, till den
moderna industristadens framväxt i våra dagar.

Sven Håkansson's Walk through Time. Kjell's first public commission was mounted at Sparbanken in Nybro in 1979. It depicts the history of the area from the sixteenth century, when Sven Håkansson, son of a farmer, became a Major at Ebbehult, to the emergence of the modern industrial city in our times.

Kunskapens träd *finns på Falkenbergsskolan i Kalmar.*

The Tree of Knowledge *at the Falkenberg school in Kalmar.*

Frieriet, detalj ur Blå Folket.   *Marriage proposal, detail of Blue People.*

Glasdansaren

Blå folket tillhör Kjell Engmans senare produktion. Idén fick han i New York, då han tillsammans med de glada vännerna i SLUR – Svenska Landslaget Unikt Rasglas – besökte en gospelgudstjänst i mitten av 90-talet. Väldigt voluminösa kvinnor i ännu omfångsrikare blå skynken dansade graciöst som sylfider till sin egen glada och rytmiska sång.

– Och vi fick både sjunga med och dansa i denna positiva Harlemkyrka, berättar Kjell. Om det här hade hänt i en svensk kyrka skulle jag vara religiös.

Och just glädje, värme och positivitet är vad Kjell vill uttrycka med sina temaknubbisar inom Blå Folket, som naturligtvis inte alltid uppträder i blått. Den, som har satt blixtlås på glas, får ju ta sig vissa friheter!

Glass dancer

Blue People is one of Kjell Engman's later works. The idea was born in New York, where he and a group of friends attended a gospel service in the mid-nineties. Extremely voluminous women draped in even more capacious blue fabric danced as gracefully as sylphs to their own infectious, rhythmic song. "And we got to sing and dance, too, in this very upbeat Harlem church," says Kjell. "If they had churches like that in Sweden, I'd be religious."
Joy, warmth and positivity were exactly what Kjell wanted to express with the chubby exemplars of his Blue People theme – who don't always appear dressed in blue, of course. A person who puts zippers in glass will take liberties.

Fiskare på ljugarbänken. Blå Folket.   *Fishermen on the liars' bench. Blue People.*

Badnymf. Blå Folket.

Bathing nymph. Blue People.

I afton dans. Blå Folket.

Dance tonight. Blue People.

Får jag lov? Blå Folket.   *Care to dance? Blue People.*

Positioner inom den klassiska baletten.   *Positions of classical ballet.*

Före detta dansbandsba-
sisten Engman hade även
tidigare haft dansen som
tema.

När Anneli Alhanko hösten
1989 skulle utnämnas till
kunglig hovdansös på
Operan i Stockholm, ville
nämligen vännerna gratu-
lera med en present i
glas. Budet gick till
Kjell.

Råvaran.   *The raw material*

Engman, the one-time
dance-band bassist, had
previously taken up
dance as a theme. In
autumn 1989, when
Anneli Alhanko was to be
appointed prima ballerina
to the Royal Court at the
Stockholm Opera, her fri-
ends wanted to honour
her with a present of
glass. The call went out to
Kjell.

– Jag ville inte göra ballerinan som en Barbiedocka,
förklarar han. I stället blev det tjejen med stor
rumpa och korta ben – hon som aldrig kom in på
balettakademien.

Den rumpan och de benen kom så småningom att
pryda såväl pluntor som snapsglas, glasskupor och
fruktskålar.

"I didn't want to make a ballerina who looked like
a Barbie doll," he says. "Instead, I chose the girl with
the big bottom and short legs – the one who never
got into ballet school."
That bottom and those legs eventually graced
flasks, snaps glasses, ice-cream bowls and fruit
bowls.

Pluntan heter I huvudet på en gammal gubbe.
Snapsglasen kallas för getingar.

This flask is called In the Head of an Old Man.
The snaps glasses are called "wasps".

Glasskupa.   *Ice-cream bowl.*

Fruktskål.   *Fruit bowl.*

Svansjön. *Swan Lake.* *En midsommarnatts-* *A Midsummer Night's*
                            dröm.   *Dream.*

Eld. *Fire.* *Luft.* *Air.* *Jord.* *Earth.*

Mystiska figurer.   *Mystical figures.*

Ballerinatemat blev populärt och det blev unikat av bland annat kända baletter och de fyra elementen. *Luft* inköptes av den engmanska hemstadens stora tidning, Nerikes Allehanda i Örebro.

– Det är jag speciellt glad för, säger Kjell Engman, som också lät mystiska figurer födas ur vattnet innan han avslutade sina lyckade steg på dansens scener med en festmåltid till Ballerinans ära.

The ballerina theme was popular and led to unique pieces depicting famous ballets and the four elements. *Air* was purchased by Nerikes Allehanda, the leading newspaper in Engman's home city of Örebro.

"I am especially pleased about that," says Kjell Engman, who also created mystical figures born from water before bringing his successful pas on the stage of dance to a close with a Festive Banquet in Honour of the Ballerina.

Festmåltid till ballerinans ära.

Festive Banquet in Honour of the Ballerina.

Fågel Fenix.   *The Phoenix.*

Glasskulptören

Kjell Engman har också – utan tematänkande –
experimenterat flitigt med fristånde skulpturer.
Fågel Fenix är en av dem.

Kroppen och huvudet är gjorda i glas, vingarna är
av metall. I andra skulpturer – till exempel
Påskharen och Dansande fisk – har han
kombinerat glaset med natursten.
– Ett härligt material att jobba med, säger Kjell.

Glass sculptor

Kjell Engman has also experimented widely with
free-standing sculptures outside the realm of
unifying themes. The Phoenix is one of them.

The body and head are made of glass, the wings
of metal. In other sculptures, such as Easter Bunny
and Dancing Fish, he has combined glass with
natural stone. "A wonderful material to work
with," he says.

Unipress.

Unipress.

Påskharen.

Easter Island Bunny.

Politikernas avgudabild.

Idol of the Politicians.

Havsdemon.

Maritime Demon.

113

Dansande fisk.

Dancing Fish.

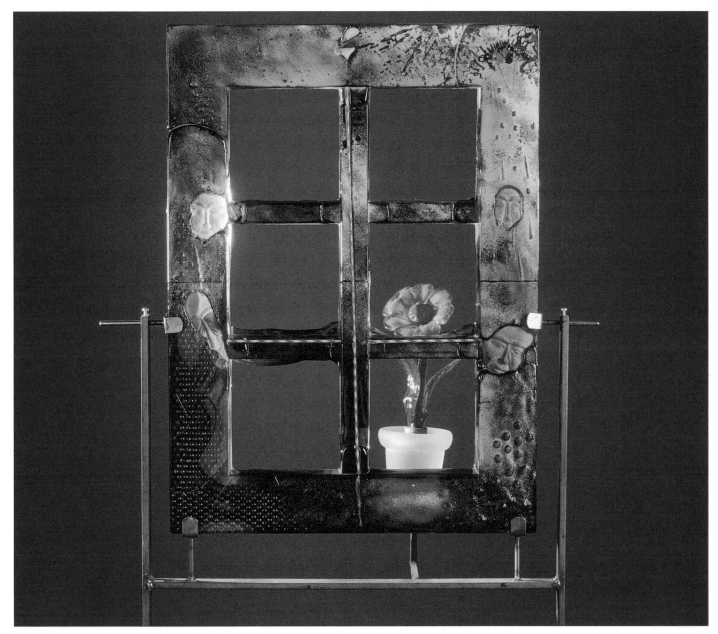

Esprit.   *Esprit.*

Glasanden

När Kjell vallade hunden i skogarna runt Gransjö, gick han ofta förbi ett gammalt hus. Det var totalt förfallet och bars upp av grenarna på ett träd, som hade vuxit från marken under det murkna golvet rakt igenom taket.

I en blomkruka vid ett av de trasiga fönsterna grönskade det varje sommar. Vinden hade fört dit frön, som vattnades av regnet.
Men i Kjells fantasi var det Husets Ande som skötte det hela.

Glass spirit

As he was walking his dog in the forests around Gransjö, Kjell often passed an old house. It was utterly dilapidated, held up by the branches of a tree that had grown from the soil beneath the decayed floor straight through the roof.
A flowerpot by one of the broken windows filled with greenery every summer. Seeds were carried there by the wind and watered by the rain. But in Kjell's imagination, the Spirit of the House made it all happen.

115

Husets Ande.

Spirit of the House.

Vinden.   *The Wind.*

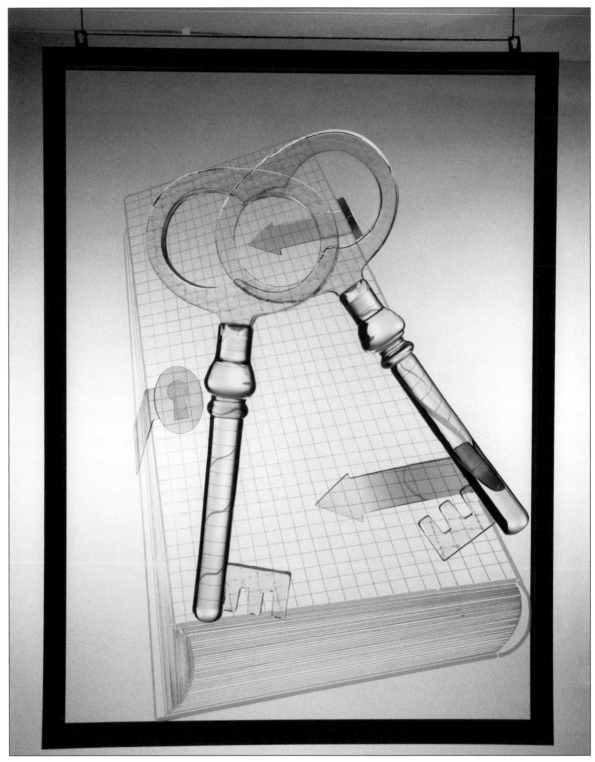

Dagboken. *Diary.*

Kjell Engman har gjort glastavlor också. Först byggde han upp motiven på planglas, som försågs med enkla metallramar.

Sedan gjorde han ramen till en viktig del av konstverket.
– Det är den ju i praktiken också, säger Kjell.

Kjell Engman has made pictures of glass, too. At first he would build up the motif on sheet glass, enclosing it with simple metal frames. Later he made the frame an important part of the work as well. "In practice, it's important too, wouldn't you say?" he says.

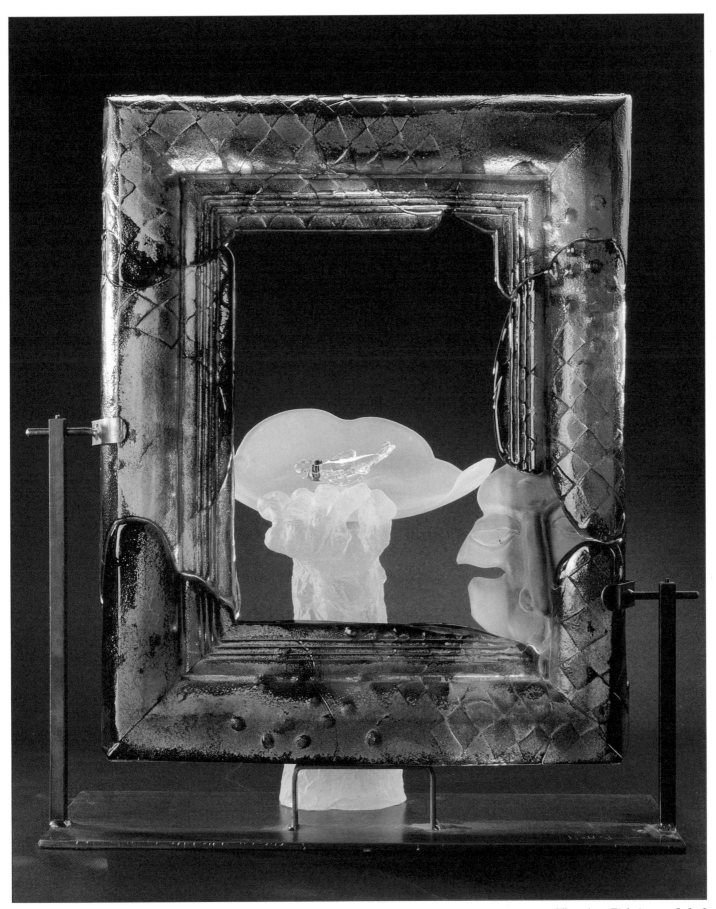

Det är en fisk i min sallad.

There's a Fish in my Salad.

Ålagille.

Eel Banquet.

Korallrevet.

Coral Reef.

Middagen är serverad.

Dinner is Served.

122

Skulptur ur Chakra.

Sculpture from Chakra.

Glasfantisören

Kjell letar ofta i böcker efter spännande ord, som låter bra och intressanta när de uttalas. Vad de betyder bryr han sig inte om, utan ger dem i stället en innebörd med hjälp av sin egen fantasi. Ett sådant ord är Chakra, som var namnet på Kjells utställning i Karlshamns konsthall 1995.

Ordet Chakra härstammar från den indiska hinduismen och är en energipunkt som antingen utstrålar eller drar åt sig energi. Men i Kjells fantasi har det blivit ett livshjul, där navet symboliserar födelsen och ekrarna medvetandets fyra funktioner: tanken, känslan, intuitionen och varseblivningen.

Glass fantasist

Kjell often searches through books for evocative words, verbal treasures that sound interesting when pronounced. He is unconcerned with their meanings, supplying his own with his imagination. One such word is Chakra, which was the title of Kjell's exhibition at the Karlshamn art gallery in 1995.

The word Chakra has its roots in Indian Hinduism, and denotes a point that either radiates or attracts energy. In Kjell's imagination, though, it has become a wheel of life, the hub symbolising birth and the spokes the four functions of consciousness: thought, feeling, intuition and perception.

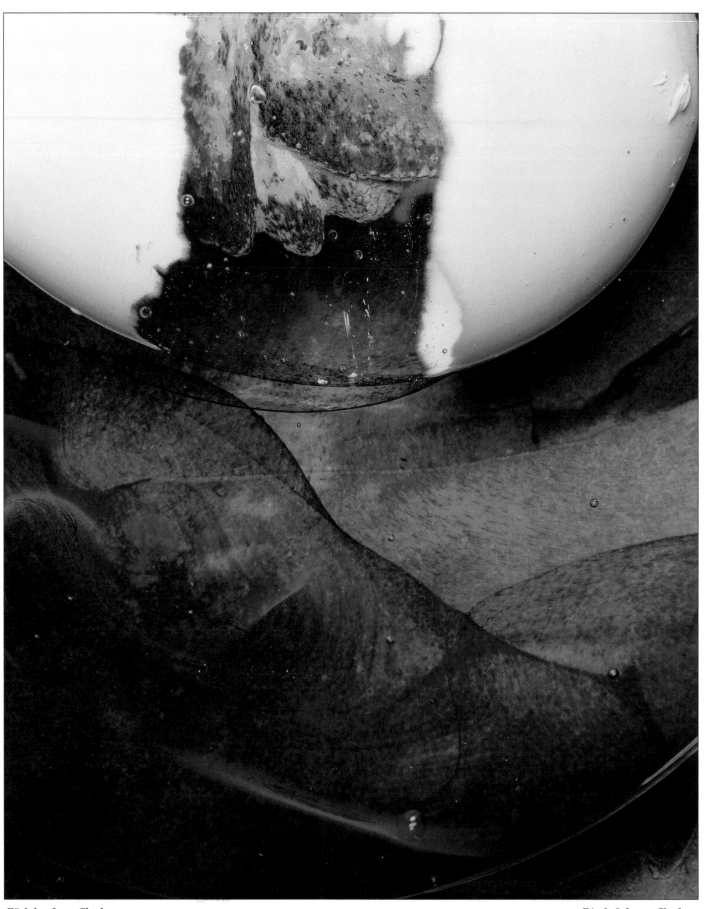

Födelse I ur Chakra.

Birth I from Chakra.

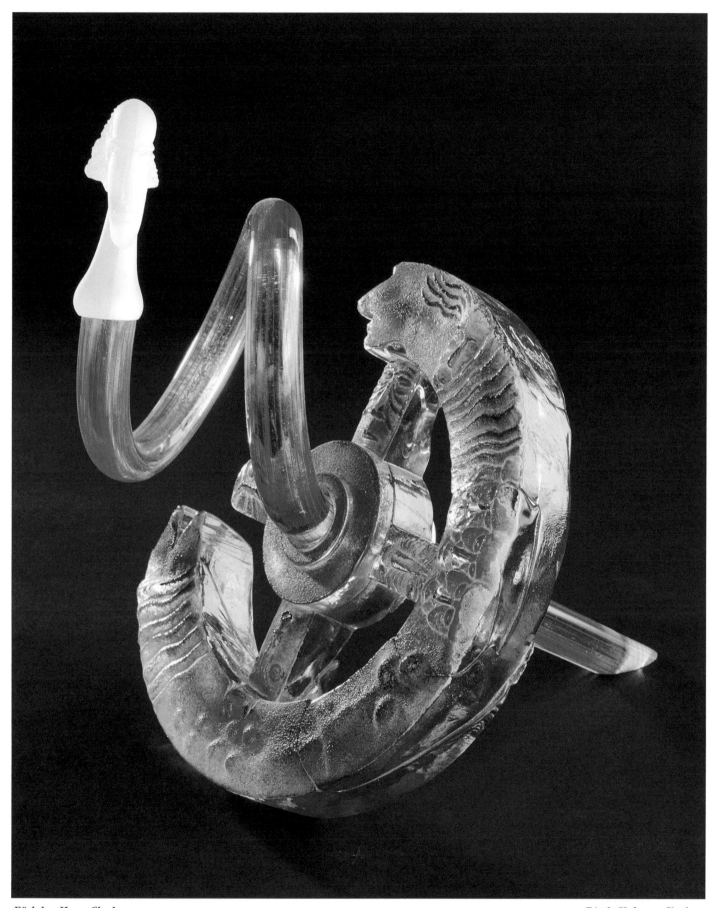

Födelse II ur Chakra.

Birth II from Chakra.

Livets trappa ur Chakra.

Stairway of Life from Chakra.

Livets vagn ur Chakra.

Carriage of Life from Chakra.

Brutet kretslopp ur Chakra.

Broken Cycle from Chakra.

129

Pjäsen Chakra.

The piece Chakra.

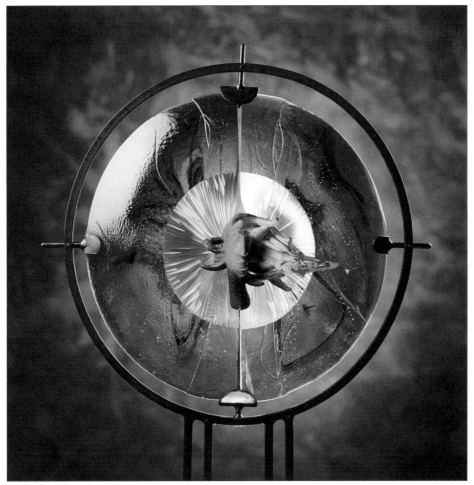

Cirkeln.   *The Circle.*

Glascirkeln

Cirkeln hette den utställning av Kjell Engman som på våren år 2000 först visades i Australien och sedan i USA – i filmstjärnornas Beverly Hills närmare bestämt. Pjäserna var uppställda i fem ringar.

I den innersta fanns fyra bitar, som liksom navet i Chakrahjulet symboliserade Födelsen. Utanför dem kom en cirkel bestående av det antika Greklands skönsjungande sirener, med vilka Kjell ville ge ett uttryck för Friheten.

Den tredje ringen med mytiska fantasifigurer var en hyllning till Kreativiteten. Pjäserna i den fjärde hette Dancing in the box.
– Det är när nyfikenheten och kreativiteten har dämpats på grund av att regler för moral och etik har kommit in i bilden, förklarar Kjell, som i yttercirkeln hade placerat sina Magiska träd.

Glass circle

The Circle was the name of Kjell Engman's spring 2000 show, exhibited first in Australia and later in the USA – more specifically, in the star-studded precincts of Beverly Hills. The pieces were displayed in five rings.

The inner circle consisted of four parts which, like the hub of the Chakra wheel, symbolised Birth. Next was a circle consisting of the lyrical Sirens of antique Greece, which Kjell used as a symbol of Freedom. A third ring of mythical Figures of Fantasy was a paean to Creativity. The pieces in the fourth circle were collectively called Dancing in the Box.
"There, curiosity and creativity have been deadened by the introduction of rules of morality and ethics," says Kjell, who placed Magical Trees in the outer circle.

Födelsen i innersta cirkeln.

Birth in the innermost circle.

Födelsen i innersta cirkeln.

Birth in the innermost circle.

133

Siren ur andra cirkeln.

Siren from the second circle.

Siren ur andra cirkeln.

Siren from the second circle.

Sirener ur andra cirkeln.

Sirens from the second circle.

Siren ur andra cirkeln.

Siren from the second circle.

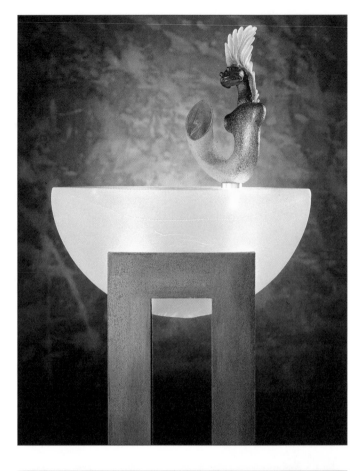

Sirener ur andra cirkeln.

Sirens from the second circle.

Siren ur andra cirkeln.

Siren from the second circle.

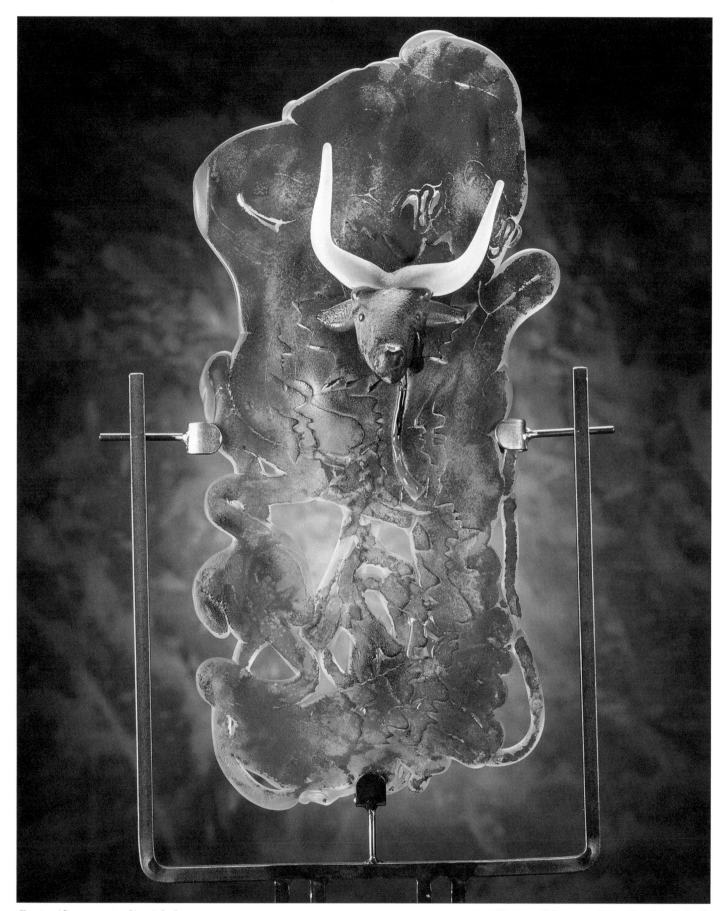

Fantasifigur ur tredje cirkeln.

Figure of fantasy from the third circle.

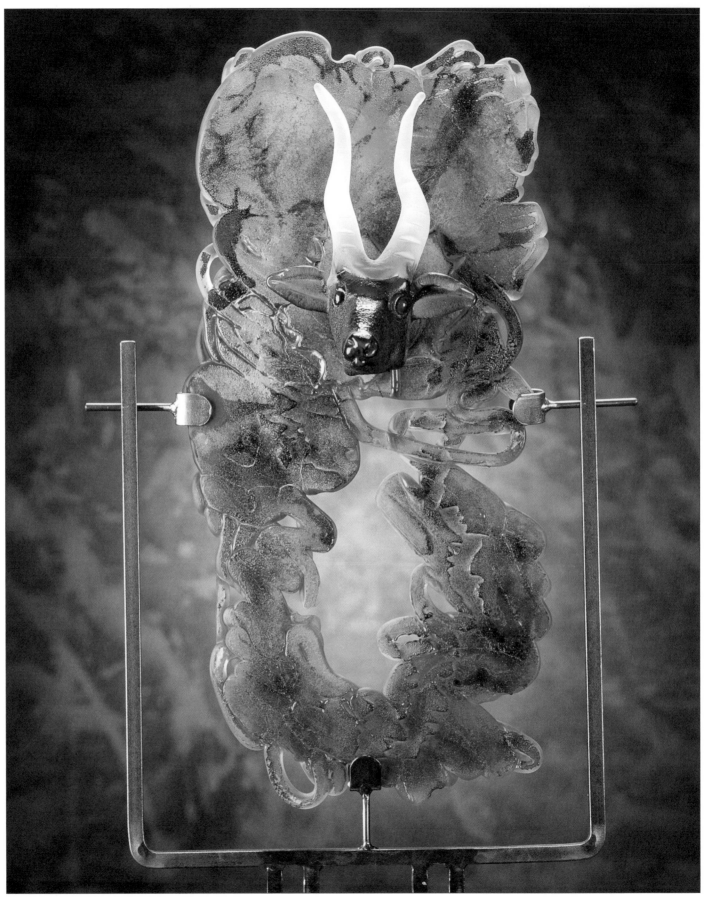

Fantasifigur ur tredje cirkeln.

Figure of fantasy from the third circle.

Fantasifigur ur tredje cirkeln.

Figure of fantasy from the third circle.

Dancing in the Box ur fjärde cirkeln.

Dancing in the Box from the fourth circle.

Dancing in the Box ur fjärde cirkeln.

Dancing in the Box from the fourth circle.

Dancing in the Box ur fjärde cirkeln.

Dancing in the Box from the fourth circle.

146

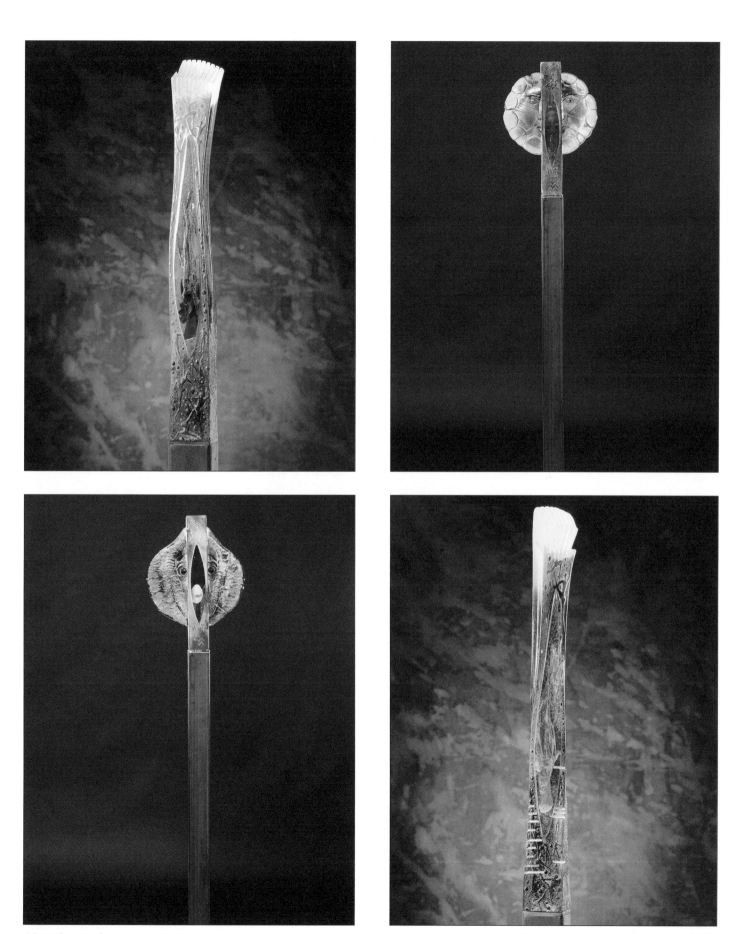

Magiska träd ur yttercirkeln.

Magical trees from the outer circle.

Magiskt träd ur yttercirkeln.

Magical tree from the outer circle.

Svarta bubblor.   *Black bubbles.*

Glasbubblor

Kjell Engmans senaste utställning heter Vid källan. Den har redan visats i Boda och Stenungsund. Nu, år 2001, är den på väg till Örebro för att sedan vandra till danska Ebeltoft och vidare ut i världen. Ljus och ljud gör att de svarta, trolska bubblorna kommunicerar med varandra.

– Idén har jag burit med mig sedan småskole-åldern, berättar Kjell. Då tillbringade jag hela sommarloven i Dalarna hos farmor och farfar. När far kom på besök, skulle vi alltid fiska i en liten tjärn tidigt på morgonen.

I dimman på vägen dit kunde en gren plötsligt dyka upp och försvinna som en mystisk figur. Det var både hemskt och spännande för den lille skolgrabben, som från båten också såg trolska, svarta bubblor stiga mot ytan i sjön samtidigt som vass och älvor utförde rituella danser i den svaga vinden inför gryningen.

Nyfikenheten stegrades av att horisontens tittskåp endast lät honom ana vad som skulle ske bakom nästa krön eller krök.

Glass bubbles

Kjell Engman's most recent show was entitled At the Spring. It has already been exhibited in Boda and Stenungsund, and is now on its way to Örebro; later it will move on to the Ebeltoft Museum in Denmark and tour the world. Backed up by light and sound, the bewitching black bubbles communicate with one another.
"I've had this idea ever since I was in elementary school," says Kjell. "Back then, I spent my entire summer vacation in Dalarna with my grand-parents. When my father came visiting, we always went fishing in a little lake, early in the morning." In the fog enshrouding the path, branches would suddenly leap out then disappear like mystery figures. It was at once terrifying and exciting for the little schoolboy. In the boat, he watched magi-cal black bubbles rise to the surface of the lake as lake-side reeds and imaginary elves carried out ritual dances in the gentle predawn winds. His curiosity was whetted by the limited horizon of visibility; he could only guess what might be behind the next bend or hillside.

Källan.

The Spring.

Vass.

Lakeside reeds.

151

Livets moder finns vid källan.

At the spring is the mother of life.

Källans väktare.

The spring's guard.

Tittskåp.   *Peepshow.*

Tittskåp.

Peepshow.

Tittskåp.

Peepshow.

Tittskåp.

Peepshows.

Tittskåp.

Peepshow.

Tittskåp.

Peepshow.

Älva vid källan.

Fairy at the spring.

Älva vid Källan.

Fairy at the spring.

Figur i trolsk bubbla.

Figure in a magical bubble.

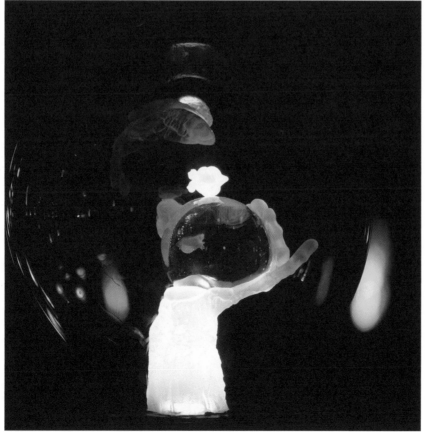

Figurer i trolska bubblor.　　　　　　　　**Figures in magical bubbles.**

Figurer i trolska bubblor.   *Figures in magical bubbles.*

Vid källan.

At the Spring.

Vid källan.

At the Spring.

Sillstim.

School of Herring.

Tema Aqua

Vatten är ett genomgående inslag i Kjell Engmans senaste utställningar. När Vid källan till sommaren år 2001 skall visas upp i Örebros Gamla Badhus, är den utökad med temat Aqua. Föremål ur denna kollektion smygvisades på Gallerie Arterre i den holländska staden Eefde några månader tidigare samma år.
– Det gällde fem pjäser, berättar konstnären. De såldes först av alla.

Ursprunget kommer naturligtvis från Kjells och pappa Lennarts morgontidiga fisketurer på mystiska tjärnar i Dalarna. De i sin tur ledde till lika omtyckta som spännande fiskar på Nya Wermlandstidningen i Karlstad, ett tema som nu bokstavligen dyker upp igen.

Kjell har nämligen placerat ögonblicksbilder av hav och insjöar på pelare, där fiskar och andra vattenvarelser oftast befinner sig halvvägs upp i luften.

Theme: aqua

Water is a consistent element of Kjell Engman's later exhibitions. When At the Spring is mounted in Örebro in summer 2001, it will be in an expanded form that embraces an aquatic theme. Several pieces from the collection will be sneak-previewed at Gallerie Arterre in the Dutch city of Eefde a few months earlier. "The five pieces shown there were the first to be sold," the artist relates.

The aquatic theme was born of the early morning fishing outings Kjell and his father Lennart took to the mystical forest lakes of Dalarna. These led eventually to the dynamic fish installation at Nya Wermlandstidningen in Karlstad, and the theme now literally rises up again.

Kjell has placed snapshots of seas and lakes on the columns, most with fish and other aquatic beings half aloft.

Återvinningen.   *Recycling.*

Och upp i luften – närmare bestämt till spisarna
i köken – hamnar som bekant också en mängd
fiskar.

Abborren äts av gäddan som sedan steks i smör
och tillsammans med pepparrot blir en delikatess
för människan. Den lilla biten av ett kretslopp vill
Kjell påminna om med pjäsen Återvinningen.

And up in the air – more specifically, en route to
the kitchen stove – is where many a fish winds up.

The perch is eaten by the pike, which in turn is
sautéed in butter, becoming, with the addition of a
dash of horseradish, a delicacy for humans. Kjell
reminds us of this little bit of a natural ecocycle
with his piece Recycling.

Sjöjungfrun.

Mermaid.

Han vill också påminna om att det i hav och insjöar finns en mängd mytiska figurer. Sjöjungfrun är bara en av dem.

Och eftersom vi själva till största delen består av vatten, utgörs utställningens fyra hörnpelare av symboler för människans lika många sinnen: tanke, känsla, varseblivning och intuition.

He also reminds us that the oceans and lakes are home to a whole range of mythical figures. The mermaid is but one.

And since we ourselves consist primarily of water, the four cornerstones of the exhibition are symbols of the four functions of human consciousness: thought, feeling, perception and intuition.

Nyfiken fisk. *Curious Fish.*

Tanke. *Thought.* *Känsla.* *Feeling.*

Fotograf Engman.
Foto: PER SANDEBÄCK

Photographer Engman.
Photo: PER SANDEBÄCK

Fotoinspiratören

Kjell Engman är en både duktig och flitig fotograf. Dessutom vet han hur man skall hantera en dator. Avslutningen på den här bildberättelsen har Kjell således gjort på egen hand. Han har jobbat på företaget C-Lito i Örebro och fick sin grafiska utbildning där.

Klipporna finns i Bohuslän och elrören i ett skyltfönster någonstans. Kanotturen gjordes i Härjedalen och dörren, är liksom det förtorkade trädet, från danska Bornholm.

Att fjärilen vistas i Melbourne, karparna simmar i Tokyo och att palmroten trivs i Sydney är förmodligen onödiga upplysningar liksom att fötterna tillhör hustrun Eva, som har hand om hästarna därhemma.

Av figurerna på sista sidan känner jag bara igen fotografen och mästarna i Kostas konstglasverkstad.

Men det ryktas om att Näs-Janne bor i Västerås, Jordbronellan i Stockholm och Knatten i Nybro, fast han jobbar på glasbruket i Boda.

Photo inspiration

Kjell Engman is a good photographer and a diligent one. And he knows how to use a computer. He has therefore supplied the conclusion to this story in pictures himself. He once worked at C-Lito in Örebro; that's where he received his graphic training.

The rocks are from the province of Bohuslän, the cable ducts from a display window somewhere. The canoe trip was in Härjedalen, and both the door and the battered tree trunk are from the Danish island of Bornholm. It's probably unnecessary to mention that the butterfly is in Melbourne, the carp are swimming in Tokyo and the palm root is comfortably ensconced in Sydney. Nor will it come as a surprise that the feet belong to Kjell's wife Eva, who is in charge of the horses back home.
Of the figures on the last page, the only ones I recognize are the photographer himself and the glass masters in the blowing room at Kosta. But I'm told that Janne lives in Västerås, Jordbronellan lives in Stockholm and Knatten lives in Nybro – but he works at the glassworks in Boda.

Inspirationsbilder

Foto och layout: KJELL ENGMAN

Photographic inspiration

Photos and layout: KJELL ENGMAN

Vänner och arbetskamrater   Friends and colleagues

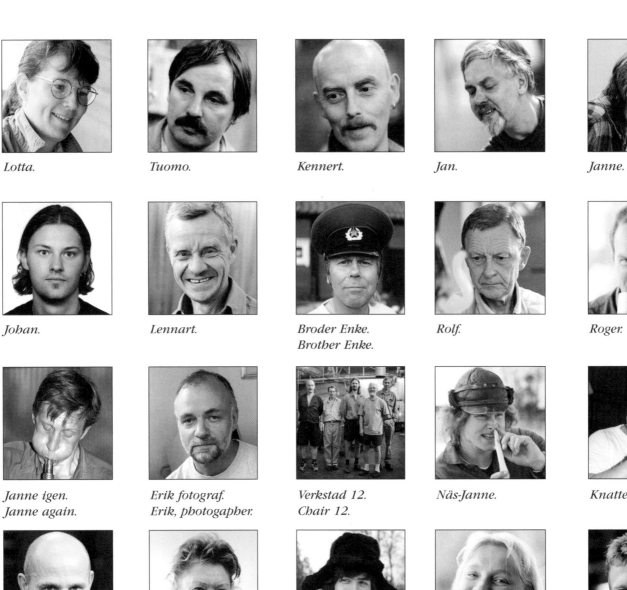

Lotta.

Tuomo.

Kennert.

Jan.

Janne.

Johan.

Lennart.

Broder Enke.
Brother Enke.

Rolf.

Roger.

Janne igen.
Janne again.

Erik fotograf.
Erik, photogapher.

Verkstad 12.
Chair 12.

Näs-Janne.

Knatten.

Peter J.

Britt-Mari.

Jordbronellan.

Ann-Louis.

Knatten igen.
Knatten again.

Stark.

Kåre.

Peter.

Lova.

Ronny.

Layout: KJELL ENGMAN

Kjell Engman

Born in 1946 in Stockholm
Working in Kosta Boda since 1978

Education
1972-73	KV's Art School, Gothenburg, Sweden
1973-78	National College of Arts, Crafts and Design, Stockholm, Sweden
1981	Pilchuk Glass School, USA

Group exhibitions
1988-90	Hankyo Derpartment Store, Osaka, Japan
1992	KB Edition, NMB Postbank Group, Amsterdam, Holland
1993	KB Edition, Dayton-Hudson, Minneapolis, USA
1995	Eight Visitors – Sixteen Friends, Frankfurt, Stockholm, Holland, USA
1996	Smålands Museum, Växjö, Sweden
1996	Duluth Art Museum, USA
1996-97	Gallery Rob van den Doel, The Hague, Holland
1999	Krapperups Konsthall, Höganäs, Sweden
2000	KB Limited Edition, Year of the Dragon, Malmö, Helsingborg, Gothenburg, Stockholm, Sweden

Exibitions, one-man shows
1990	Printemps, Paris, France
1991	Vänerborgs Art Center, Sweden
1992	Gallery Engelbrekt, Örebro, Sweden
1993	Sandvikens Art Hall, Sandviken, Sweden
1994	Vänersborg Cinema, Vänersborg, Sweden
1994	Bon Marché, Seattle, USA
1994-96	Sofa Art Fair, Chicago, USA
1995	Gallery Ferm, Gothenburg, Sweden
1995	Lugano, Switzerland
1995	Dayton's, Minneapolis, USA
1996	Decorum Gallery, Istanbul, Turkey
1996	Art center, Stenungsund, Sweden
1996	Gallery Kaplanen, Visby, Sweden
1997	Belvetro Gallery, Miami, Florida, USA
1997	Pro Persona Gallery, Stockholm, Sweden
1997	Stockholm Art Fair, Gallery S, Östersund, Sweden
1997	Vänersborgs Konsthall, Vänersborg, Sweden
1997	Water of Myth, Örebro Castle, Örebro, Sweden
1997	Water of Myth, Kulturen i Lund, Sweden
1997	Gallery Ferm, Gothenburg, Sweden
1998	Water of Myth, Ebeltoft Glasmuseum, Ebeltoft, Denmark
1998	Rosenthal Studiohaus, Hamburg, Germany
1998	Block Arcade, Melbourne, Australia
1999	Arterre Gallery, Eefde, The Netherlands
1999	Sofa Art Fair, New York, USA
1999	Illum Bolighus, Copenhagen, Denmark
1999	Gallery Rob Van Den Doel, The Hague, Holland
2000	Volvo Gallery, Sydney, Australia
2000	Block Arcade, Melbourne, Australia
2000	Orrefors Kosta Boda Gallery, Perth, Australia
2000	Ottenby Kungsgårds Gallery, Ottenby, Öland, Sweden
2000	Gallery Ferm, Gothenburg, Sweden
2000	Gallery H31, Helsingborg, Sweden
2000	Gallery Artrium, Switzerland
2000	Sofa Art Fair Chicago, Miller Gallery, New York, USA
2001	Arterre Gallery, Eefde, Holland

Represented
Växjö Museum of Glass, Växjö, Sweden
Röhsska Museet, Gothenburg, Sweden
Ebeltoft Glasmuseun, Ebeltoft, Denmark
Corning Museum of Glass, New York
Nationalmuseum, Stockholm, Sweden
Caesar's Palace, Las Vegas, USA

Public commissions
Sparbanken, Nybro, Sweden
Kristvalla church, Kristvalla, Sweden
Plenahöjdens Konvalescenthem, Malmköping, Sweden
Ryhov Hospital, Jönköping, Sweden
Erik Dahlbergs Gymnasium, Jönköping, Sweden
Nybro Dagcenter, Nybro, Sweden
Växjö Konsert- och Kongress, Växjö, Sweden
Residenset, Växjö, Sweden
Nerikes Allehanda, newspaper, Örebro, Sweden
Göteborgsposten, newspaper, Gothenburg, Sweden
Vänerparken, Vänersborg, Sweden
Vaggeryds Gymnasium, Vaggeryd, Sweden
Nya Wermlands Tidningen, newspaper, Karlstad, Sweden
Falkenbergsskolan, Kalmar, Sweden
Bergens Akvarium, Bergen, Norway
Smålandsposten, newspaper, Växjö, Sweden

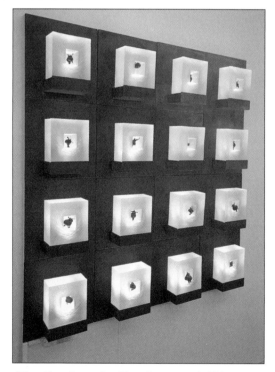

Blue People at Smålandsposten in Växjö.
Photo: INGEMAR KROON

Awards
1982	National Award
1988	Emmaboda Culture Award
1992	Design Plus Competition, Frankfurter Messe Ambiente

Mängen Production

Böcker av Hans-Olof Lundmark   Books by Hans-Olof Lundmark

Mäster Bengt Glaslegenden 1993
Master Bengt The glass legend of Sweden 1995
Kristallen och friheten 1996
Crystal and freedom 1997
Kjell Engman 2001

Hans-Olof Lundmark.
Photo: PETER AHLSTRÖM